Book 2

# 男孩的科学冒险书

## 穿越亚马逊丛林

〔韩〕朴敬洙 〔韩〕张京爱 著
〔韩〕李宇一 绘 杨俊娟 译

南海出版公司

新经典文化股份有限公司
www.readinglife.com
出 品

# 前言

亚马逊是一个巨大的自然宝库。那里有着全世界最丰富的物种、最茂盛的树木，还有着全世界最新鲜的空气。如果没有亚马逊，地球就绝对得不到“绿色星球”的赞誉。

亚马逊还是一个巨大的动物宝库。那里孕育了地球上最古老的动物物种，生活着地球上最大的爬行动物和昆虫，拥有的鱼虾种类是地球上最多的。

亚马逊也是一个想象力的宝库。天地的来历、可以变成人的海豚、穿梭于水中的美人鱼、在黑暗中出没的猛兽，还有半人半兽的可怕怪物……这里有着人类能够想象到的所有传说，这是一片充满梦幻和神秘的土地。

然而，不知从什么时候开始，美丽的亚马逊也陷入了严重的危机。因为面对着如此丰富的宝藏，很多人想的只是掠夺，而不是保护。如果不及时管理和保护这块土地，世界将失去这样一个能够给我们提供如此丰富资源的地方。今天，亚马逊的河流和丛林都患上了重病，而这一切，都是我们人类造成的。

鲁滨逊的丛林探险，让他学习到了很多东西。亚马逊的无数宝藏——动物、植物、自然现象、传说，都成了他探险的线索，也都是他冒险的对象。不过，这次愉快的旅行也在鲁滨逊的心中留下了一个很大的遗憾，那就是亚马逊的日渐衰败，以及它所面临的巨大危机。

这个遗憾不仅仅存在于亚马逊。只要把那些动植物的名字稍做改动，它就是非洲的悲剧、南极的考验，以及亚洲的苦痛。同时，它也是很多国家的写照。在各国的森林和河流中，都发生着同亚马逊一模一样的悲剧。

亚马逊曾是绿色的天堂，而现在，它正成为地球悲剧中一个悲伤的咏叹调。但是，遏制这种悲剧继续蔓延的力量也正是来自于这种悲伤。当我们都理解了这种悲伤的时候，我们的地球才能远离伤痛，恢复以往的绿色生机。

亚马逊丛林的探险让鲁滨逊学到了许多学校里学不到的宝贵知识。如果读者们也能通过阅读，获得与鲁滨逊一样的收获，那么，我们将不胜欣慰。

希望这本书不会愧对因为出版它而牺牲的那些树木……

2000 年夏

于光化门

## 亚马逊的传说

很久很久以前，世界处在一片混沌之中，没有天，也没有地。后来，天神乌拉诺斯和大地女神盖亚诞生了。为了向人类传递神的恩赐，盖亚亲自创造了一个骁勇善战的女战士部族，这个部族的名字就叫亚马逊。

希腊神话中，亚马逊的女战士们每年会举行一次祭典，招来附近部族的男人，然后和他们生下孩子。生下的孩子如果是男孩，会立刻被交还给他的父亲；如果是女孩，亚马逊部族就会把她培养成一名勇敢的战士。为了避免在拉弓的时候碍手碍脚，女孩们的右边乳房会被割去。所以，“亚马逊”在古希腊语中的意思是“没有胸”。

亚马逊伟大的女王希波里特悲惨地死在了宙斯的儿子赫拉克勒斯手下。希波里特死后，安迪奥派成了新的女王，但她又被阿泰乃的王子泰塞乌司俘虏。而曾率战士参加过特洛伊战争的潘泰西拉尼雅女王被希腊大将阿克拉乌斯杀死。

接二连三发生的悲剧，使得亚马逊逐渐走向衰落，最后连

自己的领土都失去了。不过，许多人（其中包括“历史之父”亚里士多德和航海家哥伦布）都坚信，女儿国一定还在某个地方存在着。

16世纪中叶，曾找到传说中的“黄金国”——埃尔多拉多的西班牙探险家奥雷亚纳率领一队人来到南美，在一条宽阔的河边，他们遭到了不明来历的女战士的袭击，并同对方展开了一场惨烈的战斗。奥雷亚纳认为对方一定就是传说中的女性部族亚马逊。从此，亚马逊成了这条大河的名字并流传于世。而这距离公元前9世纪郝梅洛斯最早关于亚马逊的记载已经过去了整整2500年。

500多年后的公元2000年，我们的主人公鲁滨逊踏上了神秘的亚马逊，围绕女儿国的灭亡和复兴，展开了一场充满奇趣的冒险。在无人岛上九死一生的鲁滨逊这回又走进了丛林深处，第二场战斗拉开了序幕，真让人不由暗暗地为他捏着把汗。

# 目录

## Stage 1　女儿国的复兴神谕

## Stage 2　揭开“母亲”的真正含义



## Stage 3　亚马逊丛林的新成员

## Stage 4　与丛林恶棍的再度较量

## Stage 5　生命的洞穴终于现身

## 后记

Stage1

# 女儿国的复兴神谕

一心探访古文明遗迹未果，
鲁滨逊竟然再次遭遇飞机失事，
谁知在丛林中偶遇亚马逊女儿国国王，
亲眼见证了神谕降临的过程……

# 7月1日金浦机场

“乘坐 9 点钟的班机飞往秘鲁的乘客请马上登机。”

听到广播里传来的声音，鲁滨逊瞟了一眼腕上的手表。这是女友末淑买给他的一块时装手表，此刻，表针已经指向了 8 点 40 分。马上他就要奔向梦寐以求的秘鲁，看到著名的纳斯卡遗迹了。

不久前从电视里看到介绍纳斯卡遗迹的节目以后，鲁滨逊就开始缠着妈妈，让她准许自己趁暑假去那里看看。因为如果不去亲眼看看那些据说是外星人留下的巨幅岩画，他会立刻患上绝症，然后死去的，他一定会的。

“老妈！求求你了，就让我去吧。”

“别烦我了！你休想再坐飞机。”

“你要是不让我去，我现在就绝食。”

“那太好了，正好最近米价又涨了。”

“太过分了。眼看儿子就要饿死了，竟然还说这种话……你真是我妈吗？”

“你要是想知道，就去问你爸爸好了。”

“老爸，你知不知道我到底是哪儿来的？”

“呵呵，又开始了。我也不知道啊。”

于是，鲁滨逊真的开始了他的绝食斗争，一直饿到眼冒金星头发晕。结果，开始时坚决反对的妈妈终于败下阵来，举手投降了。不过，她还是找了足足七个巫师，商议之后，决定把出发的日期定在7月1日。要是再像上次那样飞机失事，掉到无人岛，那一定会让妈妈担心死的。

不过，这还不够，妈妈还求来了很多护身符，把鲁滨逊的内衣里里外外缝得满满的，两个手腕也像戴手铐一样戴满了念珠和默珠。这时候，妈妈好像已经完全顾不上佛祖、圣母玛利亚和七星奶奶根本不是一回事了。

“行李都收拾好了吧？在飞机上不许捣乱，要听服务员的安排，早晚一定不要忘记祈祷。”

“妈，那不是服务员，是乘务员。还有，我该向谁祈祷呢？佛祖，还是圣母……”

“别吵！不管向谁祈祷，只要心诚就行了。神仙都是一样的。”

不管怎么样，妈妈还是放不下心来，老是一副忧虑的样子。爸爸昨晚刚和妈妈吵了一架，到现在心里还别扭着，脸上也是一副愣愣的表情。妈妈缝那些护身符的时候，用了爸爸很多鱼线，爸爸现在还心疼着呢。

“滨逊，路上一定要小心。不许在国外干什么坏事。无聊的时候就读读这个。”

又不是自己要去旅行，末淑却打扮得像朵花一样。她递给鲁滨逊一本包得很漂亮的书。一个平时读本书不如要她命的人，竟然送书做礼物……鲁滨逊简直不敢相信自己的眼睛。他问末淑：

“是什么书啊？”

“我想可能会对你的旅行有用，就买了。你读了以后，会觉得心胸开阔。”

“谢谢。不过，不是英文的吧？”

“当然了，英文你又看不懂。”

鲁滨逊把书塞到包里，最后一次向爸妈挥了挥手，然后又做出一副勇敢的表情向末淑挤挤眼睛。走上舷梯后，他又突然转过身来，看到妈妈正闭着眼睛喃喃地祈祷。

# 末淑的礼物

从飞机的窗口望出去，可以看见一朵朵的白云，看着看着，鲁滨逊忽然想起了去年在无人岛上的经历。那次他也像今天一样，正忐忑不安地望着窗外的白云……忽然，他觉得那场可怕的噩梦好像又回来了，不知怎么，心里开始不安起来。

“这个时候想这些干什么？真是的。”鲁滨逊晃了晃脑袋，想把不祥的感觉赶走。他打开书包，拿出末淑送给他的那本书。

“还以为我永远都不会收到一本书做礼物呢。还是末淑对我最好。”鲁滨逊的脸上露出了幸福的微笑。他翻开书，忽然，他的脑袋里嗡的一下：“呃——啊！”

在他随意翻开的一页上，有一张色彩鲜艳的图片，就是这一页让他打了个寒噤，暗暗发出一声惊叫。图上是一片郁郁葱葱的密林，一架机翼已经折断的飞机正冒着火苗和滚滚的浓烟，与他上次那架飞机的失事情景竟然丝毫不差。

“噫……竟然买这么不吉利的书给我，看看到底是什么名字？”

鲁滨逊合上书，想仔细看看书名，这一次，他的心里发出了一声更大的惊呼。啊呀——书的封面上这样写着：失去翅膀的坠机。

刚才的幸福感现在一下子都变成了强烈的报复心。这时，从书页里掉出一张小小的纸条。这又是什么？拿起纸条一看，鲁滨逊稀疏的眉毛突然一下子立了起来。

为了买到这本书，我整整找了三个小时。我很好吧？本来想给你买个降落伞，可我又没有那么多钱，真是对不起。要是再遇到飞机失事，小心不要掉到别人家的屋顶上。哈哈哈。

末淑

歪歪扭扭的字体一看就是末淑的笔迹，名字后面有一条海盗船，旗子上像模像样地画了一个骷髅头，下面还有两根骨头组成的“X”。“哼哼哼……”鲁滨逊像得病的小狗一样呻吟着，身体不停地发抖，旁边坐着的那些外国人都皱起又长又尖的鼻子，向他看过来。正在给乘客发饮料的空乘员走过来，关切地问：

“先生，您是不是哪里不舒服？我给您拿药来好吗？”

“……没事。”

“真的没事吗？”

“是的。”

于是，空乘员换上一副严肃的表情说：“如果没事的话，就请您安静一些。”

# 再次遭遇失事

此刻，鲁滨逊正一个人站在纳斯卡平原上，同行的游人和导游不知跑到哪里去了，这会儿一个都看不到。忽然，四面刮起了猛烈的旋风，鲁滨逊感到一阵害怕，他坐在地上，像妈妈嘱咐的那样，开始祈祷。过了一会儿，天空中由远而近飞来一架巨大的飞碟，在离他不远的地方徐徐着陆了。然后，从飞碟上下来几个外星人，他们的头长得像章鱼，手里还拿着激光枪。几个外星人向鲁滨逊走来，把他围在中间。一个身材强壮、看上去像是首领的外星人发出一种阴沉的声音："We will take you to our planet."

"啊？你说什么？"鲁滨逊一脸茫然地反问道。

外星人无可奈何地说："笨蛋，你还是大学生呢，怎么连英文都听不懂？"

听他这么一说，鲁滨逊自己也觉得很不好意思，脸唰的一下就红了。外星人舔了舔舌头，又说："我们要把你带到我们的星球上去，小子。"

"什么？为什么？"

“你问为什么？你不就是因为想见我们才来这里的吗？”

说着，几个外星人不管三七二十一拉起鲁滨逊就向飞碟走去。鲁滨逊害怕极了，一边大叫，一边拼命反抗。

“啊呀，不要呀，救命啊！我可是个独生子啊，妈呀——”

鼻涕眼泪流了一脸，鲁滨逊忽然睁开了眼睛，这才发现自己并不在飞碟里，而是在飞机里。他擦了擦满脸咸咸的泪水，长长地出了口气：“呼，吓死我了，原来是场梦啊……”

不过，做噩梦的是鲁滨逊，可为什么全飞机的乘客都在大喊大叫呢？右边座位上的日本人脱下和服蒙住头，正在呜呜大哭。左边座位上的美国人则把长长的鼻子埋在椅子里，身体瑟瑟发抖。

突然，飞机开始剧烈震动，上下左右摇晃起来。飞机里的人好像大合唱一样，一起大叫着：“啊啊啊——”

这时，鲁滨逊才意识到问题的严重性，此刻正是飞机失事前的状况呀，这和一年前的那天一模一样。头上的喇叭里传出机长无力的声音：“各位乘客，请你们自己照顾一下自己。为了您的安全，全体乘务员已经尽了全力。”什么？不是让大家别担心，而是让我们自己照顾自己？不是将尽全力，而是已经尽了全力？他的意思不就是……飞机又要出事了吗？！

“不要啊！！”鲁滨逊大叫一声，倒在了自己的座位上。就在这时，飞机突然翻转了过来，随着一声震耳欲聋的巨响，整个世界像是天旋地转一般。如同一股令人眩晕的电流袭过全身，鲁滨逊的眼前变得一片昏黄，脑子里像在做梦一样，变得一片漆黑。他失去了知觉。

# 遇到亚马逊女王

“呃呃……”

随着全身一阵剧痛，鲁滨逊费力地睁开了双眼。映入眼帘的是一片碧蓝的天空。刚才在飞机上看到的一团团云彩，此时正在他的头顶上飘荡。

“难道我又没有死？”

他扭头向四周望了望，失事的飞机已经无影无踪，其他的乘客也一个都找不到了，能看到的只有高大的树木和茫茫的丛林，耳朵里也只有从四面传来的鸟鸣声。

情况已经很清楚了：他又一次遭遇了飞机失事，而且，这一次又是他一个人死里逃生，活了下来。如果说和上回有什么不同的话，那就是上次是在无人岛，而这次是在一片丛林中。

“唉，真是倒霉。打生下来就坐过这么两次飞机，竟然两次都碰到事故。”

鲁滨逊忽然怨恨起末淑来，要不是她买了那种晦气的书，怎么会发生这种事呢？都是末淑的错，只要让我再见到她，非好好

教训教训她不可……

树林深处突然传出一阵声音，鲁滨逊吓了一跳，警觉地向四周望了望。就在这时，从树后跳出一个黑乎乎的东西。

“哦啊！”

鲁滨逊大叫一声，吓得向后退了几步。白色的头发、深深的皱纹、稀疏的牙齿、低垂下来的乳房，还有瘦削的四肢。出乎意料，出现在他面前的竟然是个长相奇特的老奶奶。

老奶奶的肩膀上搭着长长的箭，背后扛着箭筒，腰间挂满了兔子和一些其他小动物。她一只手握着长矛，一只手举着盾牌，脖子上还戴着一条古老的新月形状的项链。鲁滨逊定了定神，结结巴巴地问：

“老奶奶，你是谁呀？”

可是老奶奶突然拔出箭，对着他大叫：

“呸！你这个没礼貌的家伙，见了女王竟然敢叫奶奶。”

“女王？哈哈！”

鲁滨逊不由自主地大笑起来。这么邋遢的老奶奶竟然说自己是女王，不知道是不是没有洗脸就跑出来了……一时间，鲁滨逊好像完全忘了自己的困境，开怀大笑起来。

“呵呵，你是女王，女王，哈哈哈哈——”

老奶奶看见他这副样子，大怒，开始抽弓搭箭，恶狠狠地说：

“你还敢笑？！你要是不立刻闭嘴，我马上让你变成肉串。”

啊——一看见锋利的箭，鲁滨逊立刻吓得丢了魂。现在可不是笑的时候，好不容易逃过了飞机失事那一劫，可不能就这么死了呀。这个不知从哪儿来的老奶奶，说的也不知是真是假。鲁滨逊马上止住了笑声，小心翼翼地问：

“老奶……啊不，女王陛下，您是哪个国家的女王呀？这里到底是哪儿啊？”

“这里是亚马逊。我就是亚马逊王国的最后一个女王。”

“亚马逊？这儿不是秘鲁吗？”

“笨蛋！广阔的亚马逊就是从秘鲁开始，一直延伸到大西洋，你难道连这个都不知道吗？”

“真的吗？”

“那么，你是什么人？为什么会在这儿？”

“我是从韩国来的鲁滨逊，在去那斯卡的路上遇到飞机失事。可能只有我一个人活下来了。”

“是吗？没想到你这小子长得不怎么样，运气还真好。”

“我一直以为亚马逊的女儿国是个传说呢，难道真的存在？”

“什么真的假的！亚马逊王国从伟大的希波里特女王开始就一直存在着。我就是希波里特女王的第 150 代子孙。”

“哇，真的吗?！那您叫什么名字？”

“我的名字？和希波里特差不多。为了让我也成为像希波里特那样伟大的女王，妈妈特意给我起了这样一个名字。”

“到底是什么呀？”

“希普米特。”

“什么？希普米特？真有意思，哈哈哈哈——”

鲁滨逊再一次大笑起来。见他笑，希普米特又举起了弓箭。虽然受到了威胁，可这次鲁滨逊却怎么也止不住笑。就算要变成肉串，也得先等笑够了再说。

希普米特一边气得直喘粗气，一边望着鲁滨逊，却没有拉动手上的弓。

## 未知与神秘并存的丛林
## ——亚马逊

亚马逊丛林跨越南美洲的秘鲁、巴西、哥伦比亚、委内瑞拉、玻利维亚等9个国家，是世界上最大的热带雨林。它占了地球森林面积的30%，总面积达到700万平方公里，是韩国的70倍，比整个朝鲜半岛的30倍还要大。这里树木的高度一般都在40～50米左右，也有相当数量的古树高度接近100米。

亚马逊河发源于安第斯山脉，汇入大西洋，干流大约长6300千米，上游最窄，宽度约为2～3千米，中游大约宽10～20千米，进入下游以后，宽度几乎接近100千米。亚马逊河的支流超过1000条，能乘船穿行的距离也长达8万千米。每年流入海洋的水量足有60亿吨。流经地球表面的地表水，有1/5都在亚马逊河流域。

亚马逊地区位于赤道附近的北纬5°～南纬20°之间，年平均气温26℃，年降水量2000～3000毫米，有的地方超过5000毫米。进入雨季（头年12月～次年7月）以后，亚马逊河的水位会比旱季高出将近20米，如果发生河水泛滥，两岸几十千米的区域都会变成水中丛林。

平均每10000平方米的亚马逊丛林中有750种树木，生活着125种哺乳动物、400种鸟类、100种爬行动物、60种两栖动物。

而在每一棵树上，都生活着400多种昆虫。有学者推测，生活在这里的动植物至少有200万种，而且其中一大半都没有经过研究或者分析，甚至还没有被人类发现。

像海水一样多的河水，参天的树木，连阳光都透不进来的密林，还有难以计数的神奇生物，亚马逊可以说是地球上最后一块充满神秘的土地。鲁滨逊没费吹灰之力就来到这里，简直太让人羡慕了。

# 女儿国的悲剧

希普米特看上去好像很乖僻，实际上却是一位慈祥的老人。她把鲁滨逊带到自己的家里，还做了很好吃的烤肉来招待他。被希普米特称作“宫殿”的，其实是一间破旧的茅草屋，藏在不易被别人发现的丛林深处。

“那现在是不是就剩下女王您一个人了？”

“是啊。不知道从什么时候开始，亚马逊的战士们得了一种奇怪的病，然后死去，剩下的人越来越少。到现在，就只剩下月亮和我一个人了。”

说到这儿，希普米特一脸忧伤地仰望着夜空，大颗大颗的泪珠从她瘦削的脸颊上滚落下来。

“难道就没有办法重建亚马逊王国了吗？”

“不，我们还有一个唯一的希望，可是……”

“什么希望？”

希普米特脸上浮起一丝无奈的微笑，像是在自言自语一般地说道：

“说了又有什么用呢？你又不知道该怎么办。”

啊，竟然这么不把我放在眼里！鲁滨逊觉得自尊心受到重挫，他一改刚才温和的语气，气鼓鼓地说：

“您怎么能这么说呢！不是跟您说过了吗，我可一个人在无人岛上待了好几个月，最后凭我的聪明才智脱离了困境。而且，您一定不知道吧，我的运气可是好得不得了。您觉得还有人能两次从失事的飞机中脱险吗？”

希普米特感到很意外，盯着鲁滨逊上下打量了一番。鲁滨逊正在暗暗努力做出一副很酷的表情。盯着他看了一会儿后，希普米特开口说：

“从你的样子，可真是看不出来……”

不过，希普米特还是说起了她最后的希望。不管怎么样，她不想错过任何人的任何一点帮助。这就像落水的人连一根稻草都想抓住一样。

“大概是在两天前吧，我梦见一个衣着华丽的女人。我仔细一看，她不是别人，竟然是希波里特女王。虽然由于卑鄙的女神赫拉的阴谋，希波里特丢掉了性命，但她仍然是最伟大的女王，是亚马逊战士永远的偶像。”

希普米特开始讲起亚马逊悲惨的历史。她讲了被敌人俘虏的安迪奥派女王和壮烈战死的潘泰西拉尼雅女王的故事，还有亚马逊王国从黑海经过大西洋，进入南美亚马逊丛林深处的历史。鲁滨逊连打盹都忘了，眨巴着眼睛，专心听着女王的讲述。

“我问希波里特女王陛下，怎样才能复兴亚马逊王国。她让我三天后去找乌伊突突部落的巴节。她说神会通过他来下达神谕。”

“乌伊突突是什么，巴节又是什么？神谕呢？”

“乌伊突突是亚马逊上游的一个印第安部落，巴节就是巫师。神谕是神通过人传达的预言或者启示。你连希腊神话里的神谕故事都不知道吗？你怎么好像没上过学一样。”

“……”鲁滨逊本来想说自己是堂堂的韩国大学生，可是咂了咂嘴没有说出口。他觉得太给韩国大学生丢脸了。希普米特还以为鲁滨逊是因为没有上过学而感到难过，她耸耸肩膀，安慰他说：

“没关系啦。没上过学又怎么样，有真本事不就行了。”

听她这么说，鲁滨逊觉得更不好受了，于是赶快转了个话头：

“那您打算怎么办呢？三天后，不就是明天吗？那我们快点去找那个巫师呀。”

“是啊，可是我也拿不准这个梦到底是真是假。”

“哎，老奶奶，您又不是小孩，难道还会做些乱七八糟的梦吗？一定是真的。我也要和您一起去。”

“你？”

“是啊，或许对您有帮助也说不定呢。我在无人岛的时候……”

希普米特用一种忧郁的眼神看着鲁滨逊，最后点了点头。她已经失去了王国所有的臣民，而现在，她好像从鲁滨逊身上感觉到了久违的亲情的力量。于是，他们决定一早就出发。

这天夜里，鲁滨逊和希普米特并排睡在铺着柔软干草的床上。鲁滨逊梦见了末淑，他使足浑身的力气，朝末淑的屁股打去，不过，末淑很巧妙地闪了一下，没被他打着。

# 复兴亚马逊的神谕

乌伊突突部落的巴节是一个上了年纪、有点驼背的老爷爷。他一看见希普米特，就无缘无故地嘿嘿笑起来。可听完希普米特的梦以后，他的眼睛一下子就睁圆了。

“这真是太神奇了！三天前，我也做了一个跟你差不多的梦。”

梦里一个打扮奇怪的女人说三天后要传达神谕。当时，他并没把这事放在心上，以为就是一个普通的梦。

居然听到了这么奇怪的事情，鲁滨逊开始觉得，说不定希普米特的愿望真的能够实现。

“要想接受神谕，必须先清洁身体。老太太，你等我一会儿，我要去沐浴。”

说完，巴节飞一般地向河边跑去。更准确地说，是逃走了。因为，希普米特听见他管自己叫老太太，大怒，正举起长矛要打他呢。

“这个死老头，什么老太太、老太太的，气死我了……”

过了一会儿，完成了沐浴的巴节不慌不忙地走了回来。脸上的表情好像换了个人似的，但看上去对希普米特的神经质还是十分惧怕。巴节戴了一顶用七彩长羽毛做成的帽子，把两边面颊画得五颜六色，并且换上一副严肃的表情，坐在了茅屋中间。

“亚马逊的神明啊，请降临吧，希普米特在这里恭候了。巴拉哾哾哇里哾哾玛卡哾哾……”

巴节嘴里嘟嘟囔囔地念着咒语，等待着神的降临。看着他的样子，鲁滨逊又差点笑出声来，不过这一次，他紧紧抿着嘴，使劲忍住了。

“哇伊卡诺哇伊卡诺呜呀拉卡诺……呵咯咯！”

念了半天咒语后，巴节忽然发出一声垂死般的哀鸣。两只纽扣眼一般大的瞳仁变得像纽扣一样大。神终于附体了。鲁滨逊屏住呼吸，等着巴节下面的话。

“我以神的名义宣告……你们要集中精神注意听……”

巴节的眼神变得好像喝醉了酒一般蒙眬，他开始传达神谕了。就在刚才，他发出的还是一个老人的声音，可现在，他的嗓音清脆有力，变成了一个激动的女声。希普米特慌忙捡起一根小树枝，准备开始记录。

“妈妈生病了……要给妈妈治病呀……”

这是什么意思？妈妈生病了？那去找医生不就行了。不过，是谁的妈妈呢？又得了什么病？鲁滨逊脑子里产生了种种疑问，他还来不及细想，巴节又开始说话了：

“妈妈的肺出了问题，体温升高……血管干枯，皮肤开裂……天空乌云笼罩，灾难就要降临……男孩和女孩轮番出现，发出警告……”

巴节的声音里开始掺杂哭声，好像巨大的愤怒和悲痛已经让神说不出话似的。一直埋头记录的希普米特一脸茫然，低头看着地上的字。她好像完全不明白这些话都是什么意思。

“神啊！”

突然，希普米特双膝跪倒，焦急地呼喊起来。要是不能领悟神谕的含义，就永远无法复兴亚马逊王国了。希普米特的眼睛里簌簌地流下了滚烫的泪水。

“妈妈到底是谁呀？她究竟得了什么病？有没有治病的办法？神啊，请赐给我智慧吧！”

“去找生命的洞穴，线索就在瀑布的胡须上。”

说完这句，巴节的瞳仁开始慢慢恢复成原来的纽扣眼大小。

就在这时，鲁滨逊慌张地大喊：

“大婶！啊不，神仙姐姐！”

“什么事？”

“我……对不起，我是说您能不能再给点提示？”

巴节突然发起怒来，对着鲁滨逊大叫道：

“喂，这世界上哪有给提示的神谕！你搞什么鬼嘛！”

丛林之神就这么离开了。希普米特长长地呼了口气，瘫坐在地上。这时，不知从什么地方传来一阵猴子的吱吱叫声。

你知道吗？

沐浴是在接受神谕之前必须进行的一种仪式。在接受神谕的这一天（阿波罗的生日），德尔斐神庙的皮提亚们都要到卡斯塔利亚泉进行沐浴，在喝了圣洁的卡索蒂斯泉水以后，下到神殿的地下室里，然后坐在神圣的三角椅上嚼月桂树叶（月桂树叶是阿波罗的象征）。

接受神谕的灵媒们一般都会进入一种幻觉状态，念一些奇怪的咒语。人们通常相信这是他们与神接触的证据，但实际原因在于神殿的位置。德尔斐神庙的地缝中会渗出聚乙烯、甲烷、苯等混合气体，接受过宙斯神谕的多多纳神殿也建在能散发出二氧化碳的温泉上。在混合气体的作用下，灵媒会陷入兴奋或者朦胧状态，并说出一些话，负责翻译的祭司会把这些呓语变成适当的内容传达给信徒们。

# 从瀑布的胡须上飞出的鹦鹉

“不明白。我怎么想也想不明白。”

希普米特绝望地抓着自己的头发。苍白的头发在干枯的手指间拧成了一团一团的。

看到她这个样子，鲁滨逊关切地问：

“您再好好想想，是不是您的妈妈？要不就是您的族人什么的……”

“傻瓜。我都已经120岁了，我的妈妈怎么可能还活着呢？而且，我怎么会有族人呢？不是早就跟你说过就剩我一个人了吗？”

也对，年老孤独的希普米特是不太可能有什么家人或者朋友的。那么，难道神指的是鲁滨逊的妈妈？没道理呀，再说，鲁滨逊的妈妈身体非常健康，就算有点什么病也能挺过去。

“不行，我实在想不出。这个谜，我们先放一放再说，还是先从瀑布找起吧。”

希普米特打算先去找神谕中提到的瀑布的胡须，说不定能在那里发现什么线索呢。不过，关于这个，神谕说的也很模糊。瀑布又不是玉米、鲶鱼什么的，怎么会长胡须呢?

“老头，你就没什么建议吗？你在这里住了那么久。”

巴节好像正在思考问题。虽然眼珠似乎在乱转，可眼睛眯起来，小得都快看不见了，只能看到双眼周围的肌肉不停地抽动着。

“这附近的确有一条瀑布……而且中间有一块很大的岩石，上面还稀稀拉拉地长了一些挺高的草。难道那就是瀑布的胡须？”

没等他把话说完，希普米特就噌的一下站了起来。

她一把抓住巴节的胳膊，大声说：“前面带路！”

瀑布从一个陡峭的山崖上飞流而下，水流中央有一块突出的巨石，上面长着一些杂草，像小猫的胡须一样。

不过问题是，怎样才能靠近那些胡须呢？虽然可以划着被巴节叫作“财产1号”的古老的独木舟到达瀑布底下，但是要想逆着湍急的瀑布上去，是不可能的。希普米特焦急地抓着巴节的胳膊：

“不管怎么样，先试试再说嘛。”

“你这个烦人的老太婆，你看我这样子能行吗？你知道我多大岁数了吗？”

“你这个臭老头……你算什么巫师嘛，连这么点儿小事都干不了？人家别的巫师还可以坐着毯子飞来飞去呢。”

“真没见过你这么不讲理的女王。”

两个人你一句我一句地吵了起来，然后又都噘起嘴，一脸不高兴的样子。

鲁滨逊一直在一边呆呆地看着他们俩，忽然，他的视线落在希普米特的弓箭上。要是向胡须里射箭，说不定会有什么反应呢。

虽然没什么把握，但总比白白放弃要好。

“这个……咱们来射一箭怎么样？”

“你说射箭？”

“是啊。反正也上不去，不如试试这个办法。就算是死马当活马医吧。”

“会有用吗？”

希普米特半信半疑地从箭筒里抽出一支箭，搭在弓上。然后，她瞄准“胡须”，屏住了呼吸。

她凝视着目标，目光变得像鹰一样锐利，干枯的手背上暴出了平时看不见的青筋。

这时鲁滨逊才发现，希普米特的右胸和左胸不太一样，是平坦的。看来，她真的是亚马逊的女战士。

咻——离弦的箭沿着一条直线飞了出去，准确地射进了石头中间的胡须里。会发生什么呢？在箭飞出的瞬间，鲁滨逊和希普米特就像餐厅里等着上菜的客人一样，充满了期待。

“嘎——嘎嘎——”

随着一串刺耳的叫声，一个大大的东西飞向了天空。原来是一只满身长着五彩羽毛的漂亮的鹦鹉。希普米特的箭正好射中这个家伙的窝。

鹦鹉一副被激怒的样子，开始在独木舟上空盘旋。

“谁干的？谁干的？”

哇，鹦鹉竟然会说话！鲁滨逊瞪圆了眼睛，这种只在电影里看到过的事竟然真的出现了。鹦鹉盯着鲁滨逊，提高了嗓音，恶狠狠地问：

“是你吗？是你吗？”

“不是他，箭是我射的。我是亚马逊的女王希普米特。你知道神要传达的旨意是什么吗？”

鹦鹉看着希普米特，摇了摇头。那表情好像在说，什么女王，这么邋里邋遢的。

不过，当它看见希普米特脖子上的新月项链时，马上又点了点头，然后用尖锐的声音说道：

“去太阳升起的地方！去太阳升起的地方！”

它的意思是让我们去东边？去哪儿呢？去干什么？一头雾水

的鲁滨逊突然觉得气不打一处来。

“喂，你这只讨厌的鸟！要说就说清楚嘛，叫起来就像乌鸦一样。”

鹦鹉像狼一样狠狠地盯着鲁滨逊，又喊道：

“桃花心神木！桃花心神木！”

神木指的就是具有神奇力量的树。那么，就是说要到东边去找这棵具有神奇力量的桃花心木。听到这些提示，希普米特对鹦鹉简直是感激涕零，不过，鲁滨逊却对它看自己的眼神很不满意。乌鸦的声音，再加上狼的眼神，不就是个有花纹的鹦鹉吗？而且，竟然对我那么不尊敬。

和鲁滨逊一样，鹦鹉也觉得很不痛快。它对鲁滨逊也非常不满意。

“小心夜路！小心夜路！”

鹦鹉向鲁滨逊扔下这句话后，就向瀑布那边飞去。

### 你知道吗？

头发的颜色是由黑色素的量来决定的。头发会随着年龄的增长而变白，就是因为毛根细胞里的黑色素减少的缘故。如果年纪很轻头发就白了，则多半是因为遗传，也有可能是因为压力过大，或者营养不良等原因。有人说，白头发拔一根会长两根，这很显然是无稽之谈。

为什么只有男性才长胡须呢？这是因为受到了男性荷尔蒙的影响。在古埃及，胡须曾经是权位的象征，连王妃也挂着仿造的胡须，而平民则不允许留胡须。一些古代王国的统治者们还备有专门修剪胡须的铁筷子和烙铁。把胡须编起来或者修得卷卷的还不够，有的人还在胡须上撒金粉。

# 印第安少年玛库纳伊玛

“你真的要去吗？”

希普米特关切地问鲁滨逊。他一直在坚持要代替年老体弱的希普米特到东方去。

“是的，我可比女王陛下您整整年轻 100 岁呢。”

“虽然是这样……可是，丛林里太危险了。”

“不用担心。您年轻的时候不也受过很多苦吗？”

鲁滨逊充满自信的样子让希普米特放下心来。当然，她并不是完全不担心。凶猛的野兽，可怕的疾病，还有传说中的食人族，到这样一个遍布危险的丛林里旅行，绝对不是一件容易的事。

不过，对于充满好奇心和冒险精神的鲁滨逊来说，此时与其说紧张害怕，还不如说激动更准确。

“没错。老太太你太老啦，这种事应该交给年轻人去做才对。”

巴节也站出来很认真地替鲁滨逊说话。他好像总是暗地里对希普米特有什么企图似的。不过希普米特还是很担心，犹豫不决。

“你要真这么担心，我可以让我的孙子跟他一起去。那可是我们部落最棒、最勇敢的小伙子，非常聪明，一定可以帮上大忙的。”

“你是个老光棍，怎么会有孙子？”

“他不是我的亲孙子，他很小的时候父母就都死了，是我把他带回来养大的。不过，他跟我的亲孙子没什么两样。”

“他多大？”

“17 岁。”

“那比我小，应该叫我哥哥了，嘻嘻。”

巴节又说他的孙子今天去丛林里采草药了，晚上才回来，到时候再准备探险需要的东西。看他一副热心的样子，好像真的对希普米特有点意思似的。

“爷爷，我回来了。”

正在吃晚饭的三个人一起转过头来。门口站着一个英俊健壮的少年，他的头上插着长长的羽毛，脸上涂了一片红色，腰间围着椰子叶做成的树叶裙。此时他站在晚霞的红光中，就如同自由穿梭于密林间的泰山一样。

“累了吧，玛库纳伊玛。”

少年看了看坐在屋里的陌生人，疑惑地望着爷爷。巴节开始一一给他的孙子介绍：

“快问好，这位老奶奶是希普米特女王，这位是从韩国来的鲁滨逊。”

玛库纳伊玛和鲁滨逊的眼神碰在了一起，不过，两个人的目光形成了强烈的对比。鲁滨逊友好地望着对方，可玛库纳伊玛的脸上却带着一点嘲弄，仿佛在说，怎么会有长得这么白净的家伙。

“您好，女王陛下。”

玛库纳伊玛向希普米特行了个礼，理也没理鲁滨逊，就站到了一边。正准备和他握手的鲁滨逊十分扫兴，一只手僵在了半空。这小子简直太过分了！

“玛库纳伊玛，现在有件事情要你去做，你和鲁滨逊一起去解开神谕的秘密。他第一次来到丛林，所以你得帮助他才行。”

“我不去。”

嗯？不去？怎么能跟爷爷这么无礼地说话。鲁滨逊一脸疑惑，轮番打量着玛库纳伊玛和巴节。世上竟然有这么不懂规矩的孙子。

“我讨厌这个家伙，我不要和他一起去。”

“喂！”

鲁滨逊已经忍无可忍了，才刚见面，就毫无理由地不喜欢，而且，年纪比自己小，说话却那么不礼貌。鲁滨逊的自尊心可是很强的，对他来说，这是无论如何也无法忍受的莫大侮辱。他大叫起来：

“你知道我是谁吗？说说你为什么讨厌我？不过说话要客气点。你可还比我小呢。”

玛库纳伊玛气鼓鼓地回答：

“你会抓蛇吗？你会划独木舟吗？还有，你会爬树吗？”

“……不会。”

“所以我讨厌你。乌伊突突的勇士从来只和勇敢的人交朋友。我也不会把你当哥哥，光岁数大有什么用？完全是个废物。”

“你、你……”

鲁滨逊一时不知道该说些什么才好，站在那儿呼呼地喘着粗气。因为玛库纳伊玛说得没错，自己对丛林里的事情确实一窍不通。这时，一直没说话的希普米特开口了：

“孩子。”

“是，女王。”

“你说的虽然都没错，可是这样你就不帮忙了吗？这件事情比我的性命还重要，但其实跟滨逊一点儿关系都没有，他是为了我才这么做的。而你……”

玛库纳伊玛低下头。想了一会儿，他好像被希普米特真诚的话语打动了。然后，他点了点头，说：

“虽然我很不喜欢这个家伙，可是看在女王的面子上，我同意和他一起去。”

“谢谢你，真是太谢谢了！”

希普米特猛地抓住玛库纳伊玛的手，眼泪又掉了下来。巴节也满意地拍了拍孙子的背。这天夜里，鲁滨逊一直都在担心，不知道和这个骄傲的小子一起会怎么样，一直到深夜才睡着。

**你知道吗？**

玛库纳伊玛是一个印第安传说中的人物，他一直是巴西英雄神话的原型。塔堂忽玛部落的女人和“黑夜之神”一起生下了他，后来，他与亚马逊的森林之母“西”相爱了，两个人经过“花朵的故乡”“幸福的瀑布”和“快乐之路”，来到了“恋人的森林”。最后，玛库纳伊玛成了守护神秘森林的伟大英雄。

Stage 2

# 揭开"母亲"的真正含义

为了解开神谕中的谜题，
鲁滨逊踏上了丛林探险之路，
丛林的种种神奇之处一一展现在他的眼前，
同时到来的还有潜伏在身边的危险……

# 月亮的眼泪——亚马逊

第二天一早，鲁滨逊和玛库纳伊玛就上路了。他们谁也不知道到哪儿才能找到桃花心神木，只能期待这样一直向东走就可以有所收获。

玛库纳伊玛的身上绑着弓和长矛，还带了短箭，背上像剑客似的牢牢地捆着长长的箭枪。只要插上箭头，然后用嘴一吹，就可以射中几十米以外的目标，这可是印第安人最神秘、最厉害的武器。

鲁滨逊的脖子上挂着那条新月形的项链，这是希普米特亲手给他戴上的，据说可以带来好运。

他们计划坐巴节的独木舟。因为乘船进入亚马逊河的主流以后，水流会横穿南美大陆，一直向东流入大西洋。

正在四处张望的鲁滨逊忽然一脸惊奇，原来他看见水面上耸立着几棵高大漂亮的树。这世界上竟然还有把根扎在河底的树？他转过头问玛库纳伊玛：

“那些树为什么长在河里？”

玛库纳伊玛对他的问题很不屑，简短地说：

“这里又不是河。”

“那是什么，难道是洪水？”

“这里不过是片水洼地而已。旱季的时候，水流走了，地面就会露出来，变成丛林。而到了雨季，又会再次被淹没在水里。现在是7月，正好是雨季的尾巴，所以是这个样子。在亚马逊，这种地方可多着呢。”

“不过，这些树在水里泡上几个月也不会腐烂吗？”

“水洼地的树没关系的，它们早已经适应这种环境了。”

“哦，简直就是水陆两用嘛。”

“什么两弄？”

“是水陆两用！就是说在水里和陆地上可以同时使用的意思。你怎么连水陆两用装甲车都不知道？”

鲁滨逊好不容易找到个可以奚落一下玛库纳伊玛的机会，马上来了精神。他坚信，虽然在丛林知识方面自己不如玛库纳伊玛，可是在别的方面，绝对不会输给他。然而，玛库纳伊玛的回答还是那么傲慢：

“装甲车这种东西，放在哪儿都没有用。我们不喜欢战争。武器不就是让人们互相争斗的杀人工具吗？”

“不过……”

鲁滨逊转了转眼珠，努力想着该怎么反驳。不过还没等他想出来，玛库纳伊玛又说：

“我们的祖先就是被拿着武器的欧洲人赶出生活了几千年的

土地来到丛林的，我的父母也被入侵者杀死了。他们砍了无数的树，杀了无数的动物，几乎毁掉了整个丛林。”

说完，玛库纳伊玛默默地低下了头，好像很伤心的样子。鲁滨逊终于知道，在玛库纳伊玛坚强的外表下，竟藏着一颗饱受伤害的心。难怪让人觉得他那么可怜，小小年纪却好像历经沧桑似的。

过了一会儿，独木舟划过宽阔的水洼地，进入了亚马逊河的一条小支流。

“啊！”

鲁滨逊一声惊叫，紧紧抓住了玛库纳伊玛的胳膊。

原来就在离独木舟不远的河边，游动着几十条鳄鱼。浮在水面上的鳄鱼露出脊背，张着大嘴，尖利的牙齿闪着寒光。

“笨蛋，瞎嚷嚷什么，第一次见到鳄鱼吗？”

玛库纳伊玛甩开胳膊，责备道。

鲁滨逊对玛库纳伊玛每次说话都叫他笨蛋很不满意，他板起脸说："是啊，我就是第一次看到！"

"真没见过世面。"玛库纳伊玛鄙视地笑了笑，然后开始给鲁滨逊解释，"它们的名字叫宽吻鳄，现在正在捕食。你看，它们向着上游张开嘴，鱼就会和水一起流到嘴里。"

"就这么捕食呀？"鲁滨逊摇晃了一下脑袋，又看了一下宽吻鳄，他以前只听说过在柿子树下张开嘴等着柿子掉下来的故事，像这样在河水里张开嘴等着鱼倒是头一次听说。

"以前这里的宽吻鳄非常多，不过最近少多了，都被入侵者抓走了。"

"为什么？"

"听说好像可以用它们的皮做钱包或挎包，真是些奇怪的人。"

突然，玛库纳伊玛把头转向鲁滨逊，用怀疑的目光看着他。

"说不定你也和他们一样呢！"

"你说什么嘛……我才不是呢，我用的可是塑料钱包。"

鲁滨逊赶忙摇了摇手，从后面口袋拿出钱包晃了晃。可是玛库纳伊玛还是一副不相信的样子。

"把腰带也解下来。"

"你、你……好吧！看吧，看！"

玛库纳伊玛拿过鲁滨逊的腰带看了看，点点头说：

"原来是山羊皮的。那就饶了你吧。"

"如果不饶我会怎么样？"

鲁滨逊嘴上虽然像鳄鱼似的大叫大嚷，心里却觉得热乎乎的，因为他想起买这条腰带的时候，还和末淑吵了一架。那时，鲁滨逊本来是要买鳄鱼皮的，在末淑的一再坚持下才没买。

“破坏了丛林秩序的那些人都应该受到惩罚。神即使不惩罚他们，也会惩罚这个世界的。”

低着头的玛库纳伊玛胳膊上暴起了条条青筋。

独木舟静静地划过水面。随着阳光一点点消失，黑暗缓缓降临到了丛林。玛库纳伊玛把独木舟拴在河边，扎下营地，然后熟练地搓着树枝，生起了一堆火。

“亚马逊河宽极了，简直都不是河，应该叫大海才对。我们都把这条河叫‘月亮的眼泪’。”

“月亮的眼泪？”

“这是我们印第安人的一个传说：很久以前，在刚有天地的时候，从太阳上掉下的一小块变成了月亮，月亮因为思念太阳流了很多眼泪，它的眼泪汇集到一起，就成了亚马逊河。”

玛库纳伊玛说着说着停住了，抬头望着静静的夜空。夜空中，白色的月亮隐约散发着神秘的光辉。

“月亮升起来后，树林里的精灵们就会一个接一个地都跑出来。在月色下，风里、水中和小小的树叶上都藏着灵魂。猫头鹰会监视这一切。所以到了晚上，猫头鹰的眼睛总是睁一只闭一只。”

玛库纳伊玛像鳄鱼一样张开嘴打了个哈欠，然后在两棵树之间拴好吊床。

“那个……我们就这么睡，要是有老虎或者狼怎么办？”

“笨蛋，亚马逊才没有那些动物呢。这里最可怕的是美洲豹和美洲狮。不过不用害怕，这里不是它们出没的地方。”

“你怎么知道的？这儿又没牌子写着。”

“从气味就可以知道了呀。它们都是用气味来划分自己的领地。我可以保证绝对没问题。”

虽然玛库纳伊玛这么说，可鲁滨逊还是不太相信。要是玛库纳伊玛的鼻子出了问题，闻不准气味怎么办。虽然很困，可鲁滨逊还是强打着精神，因为他觉得，送命和熬夜相比，还是熬夜好一点。

这天夜里，鲁滨逊想着爸爸妈妈和末淑，几乎是睁着眼睛过了一夜。月亮的眼泪——亚马逊河上，又添上了几滴鲁滨逊咸咸的泪珠。

你知道吗？

被印第安人称为“宽吻鳄”的这种亚马逊鳄鱼，正式的名字是“凯门鳄”。它们过着群居的生活，每群都有100多只。它们中最小的也有1.5米长，而大的则可以达到4.5米。它们的双眼之间有一个突出的鼻梁，看上去就像戴了眼镜一样，所以人们也把这种鳄鱼叫作“眼镜凯门鳄”。凯门鳄一共有三层眼皮，第三层眼皮是一个半透明的膜，它的作用是在水中保护眼睛。

## 亚马逊的动物间有趣的共生关系

住在一起相互帮助，这可不是只有人类才有的美德，在动物的世界中，也常常可以看到这样的景象——动物们也会相互帮助，获取彼此需要的东西。下面就是关于亚马逊的动物间相扶相助的有趣故事。

### 鳄鱼和蝴蝶

鳄鱼可算是一种很有福气的动物。鳄鱼鸟会为它清洁牙齿，蝴蝶则会帮助它清洁眼睛。每当宽吻鳄在河里休息的时候，蝴蝶就会飞到它的眼睛上，吮吸它的眼泪。宽吻鳄的眼泪含有丰富的糖分和蛋白质。它们的眼泪和花粉，就是蝴蝶的两大食物

来源。蝴蝶们愉快地吸收了营养，鳄鱼的眼睛也会很舒服。这就叫“流泪的相扶相助”。

### 水獭和粪鸟

亚马逊水獭一般有着固定的进食、排泄和日光浴的场所。这种拥有家族专用餐厅、卫生间和活动场所的动物，全世界只有水獭。更让人惊奇的是，它们还配备了卫生间清洁工。

水獭排出粪便以后，就会有一群鸟飞过来，啄食混合在粪便里的食物残渣。这样，那些“残羹剩菜”很自然地就被清扫掉了。负责清扫的鸟有很多种，一般被称为“粪鸟”。粪鸟愉快地吃了点心，而水獭的污物也被清除干净了，这叫“散发气味的相扶相助”。

## 鹿和翁鸟

潘帕斯鹿生活在亚马逊南边的潘帕斯草原上，它们身边随时都会跟着一两只黄色的翁鸟。翁鸟被称为“皮肤护理师”，它们吃的是鹿毛里的寄生虫。如果没有翁鸟的话，鹿的身体一定会沦为跳蚤们的乐园。翁鸟吃饱了很高兴，而鹿因为皮肤得到了清洁，也会很高兴。这就叫“跳蚤市场的相扶相助”。

# 亚马逊的神奇草药

“呃呃，真是累死我了。”

鲁滨逊一边呻吟着，一边伸了个懒腰。他的身上到处都是夜里蚊子留下的包。

就打盹那么一会儿工夫，饿极了的蚊子们就像吸血鬼一样吃了个够。

“笨蛋！别挠！你挠的话，会肿得比足球还大。”

“那该怎么办呢？”

“抹点唾沫就行了。”

“你怎么跟我妈妈说的一样。”

鲁滨逊用手指蘸了点唾沫，把它抹在痒的地方，可还是痒得难受，于是干脆直接用舌头舔起小臂来。玛库纳伊玛在一旁嘲弄地笑起来。

“看你长得像头骡子，原来是条小狗。”

“你、你……”

看着鲁滨逊红肿的胳膊，玛库纳伊玛一副很怜悯的样子，他停下独木舟，向丛林里跑去。过了一会儿，他拿着几片像豆叶一样的树叶回来，小心地把它们扯开，碾碎。

“这是什么呀？”

“这是被蚊子叮了以后涂的草药。”

“真的？”

鲁滨逊半信半疑地把草汁涂在胳膊和腿上。顿时，一股清凉的感觉在全身散开，渗入到每一寸痒痛的皮肤里。

“哇，你真厉害！你又不是中医，怎么会懂得用草药呢？”

“这是丛林居民的基本技能，连动物们都知道。”

“你说连动物都懂草药？怎么可能嘛！”

“是真的。美洲豹和美洲狮吃过食物以后，经常会找某种树叶来嚼。它们知道什么植物有促进消化的作用，这可是它们的本能。要是觉得肚子疼，它们还会找止泻药来嚼。丛林里到处都生长着神奇的草药。

“咕噜噜——”

鲁滨逊正听得入神，肚子里却忽然发出咕噜噜的声音。原来是到早饭时间了。在这方面，他的胃可比闹钟还准。在家的时候，鲁滨逊要吃三顿饭、两顿点心，每天最少吃上五顿，现在他已经饿得一点儿力气都没有了。

“哎哟！现在就是有条席子我也能吃下去，亚马逊再漂亮，也得等吃饱了再说啊……”

鲁滨逊拿着一支箭，走到河边。他想，泰山可以用长矛叉鱼，那我用箭也一样可以抓到鱼啊。不过，跟水里的鱼比起来，鲁滨逊的速度简直就和乌龟差不多。他忙活了半天，却连一条鱼也没抓到，还累得满头大汗，筋疲力尽，一屁股坐在了河边。

就在这时，他忽然看到许多鱼正噗噗地跃出水面。一条条小臂那么长的鱼像跳水一样，不停地跃出水面。远处，玛库纳伊玛大声催促着：

“别光看着，快动手啊。”

鲁滨逊这才回过神来，慌慌张张地跳进河里。不过，鱼身子太滑了，他捞了半天，才抓了五六条。

“笨蛋！给你饭都吃不着！”

玛库纳伊玛绷着脸大声呵斥着。奇怪，在无人岛的时候抓得很好嘛……怎么休息了一年，水平下降了这么多。

“不过……你究竟是怎么做到的？”

鲁滨逊虽然觉得很惭愧，可还是忍不住好奇地问。

“巴巴斯可。”

“什么什么可？”

“巴巴斯可呀，就是这种草的名字。”

玛库纳伊玛指了指装在网兜里的草。

“这是一种麻醉剂。把它碾碎，挤出汁，然后洒在河里，麻醉的鱼就会像刚才那样跳出来。在一条很窄的小溪里，把水堵住，洒下这种草汁，鱼儿就会乖乖地等着你来捉了。”

“哇——好神奇哦！”

玛库纳伊玛把鱼烤得很好吃。鲁滨逊狼吞虎咽地大嚼起来。因为他暗想，一定要比玛库纳伊玛多吃一条。

“呃——吃饱啦。”

鲁滨逊一边拿鱼刺剔着牙，一边打着饱嗝。玛库纳伊玛揉着肚子，转过头来，就在这时，从鲁滨逊那边忽然传来一阵奇怪的响声，扑哧哧……

“真是要命，你这家伙怎么全身都有味道？”

玛库纳伊玛蹙了蹙鼻子，向独木舟走去。而鲁滨逊却待在原地一动不动，扭着身体，半蹲在那里。

“呃呃——我一步也走不了啦！”

“你怎么了？怎么像个要拉屎的小狗似的。”

“是啊是啊！”

“什么？”

“我是说我拉肚子。”

鲁滨逊真是吃得太多了。玛库纳伊玛四处张望了一下，然后走到一棵大树旁边，用刀在树上砍了个缺口，接了一些白色的树液。

“这又是什么呀？”

“这是肚子疼的时候吃的药。你拉完以后把这个喝了，马上就会好的。”

鲁滨逊躲到树后面解决了问题，然后又把树液喝了。这时，玛库纳伊玛不知从哪儿弄来一些藤条，又采集起树液来。浑身轻松、又开始打嗝的鲁滨逊问：

“这又是治什么的啊？”

“笨蛋！这个不是吃的，是用来涂在箭头上的毒药，叫作‘克拉莱’。只要把它涂在箭上，中了箭的人就会浑身麻痹，然后慢慢死去。”

玛库纳伊玛把那些树液小心翼翼地涂在箭头上，然后瞧着鲁滨逊问：

“要不要尝尝？”

“哼！讨厌！赶快收好。”

鲁滨逊摆了摆手，把沾在手上的克拉莱擦掉，然后自言自语地说道：

“药再好也不能乱用啊，要不然……”

## 亚马逊是人类的大宝库

遍地神奇草药的亚马逊是人类的一个大宝库。说丛林本身就是一个巨大的药店，一点儿都不夸张。抗生素、止痛药、利尿剂、泻药等，都可以从以亚马逊为首的热带雨林里找到。

亚马逊的草药之所以能够广为人知，第一功臣不是别人，正是当地的印第安人。从金鸡纳树皮中提取疟疾治疗剂奎宁，就是受到印第安人用煮树皮水治病的传统方法的启发的。

专门研究居住在亚马逊东南部的卡亚普族生活的科学家们也取得了惊人的发现。在印第安部落中，仅痢疾就可以细分为250种以上,根据症状的不同,各有不同的治疗方法。可以想象，在令人惊异的绿色医术面前，该有多少研究者和医生会大感惊讶。

美国“萨门制药”的创始人丽萨·肯特为了研究印第安人使用的草药，曾带领考察队来到亚马逊。在那里，他们发现当地人用一种叫巴豆的植物的汁来治疗腹泻和化脓的伤口，深受启发。后来,他们就以这种巴豆为原料,开发出了一种新药“普罗必尔”。据说美国食品医药局免去了对这种药的部分测试，认为其功效非常显著，决定特别推荐。

现在，热带雨林每年可产出的医学价值高达300亿美元。

不过，与未来的前景相比，这还只是九牛一毛。癌症专家估计，在热带雨林中，至少有10种可以用于治疗癌症。艾滋病专家也表示，对于恶疾的攻克，最让人们充满希望的地方还是丛林。在热带雨林的无数植物当中，到目前为止进行过粗略研究的只有1/10，而经过详细调查的仅有区区1/100而已。

可以说，亚马逊是人类攻克疾病的一大希望。如果古代的名医许浚先生到过亚马逊，研究过那里的草药的话，他会怎么样呢？真那样的话，说不定，像癌症和心肌梗死这些疑难杂症就都变得像感冒一样好治了。说不定，他还能写出比《东医宝鉴》更伟大的医书呢，而这本书的书名当然就应该是《亚医宝鉴》了。

# 塔白拉族的恶棍

“啊！是貘！”

正在认真摇船的玛库纳伊玛忽然欣喜地大叫起来。鲁滨逊扭过头，顺着他指的方向望去。河边，一些长着长鼻子、长相奇怪的动物正在大嚼树叶。

“貘？它们的名字就叫貘吗？”

“亚马逊竟然现在还有貘。我还以为它们早就灭绝了呢……”

玛库纳伊玛像看见几十年没见的老朋友一样，高兴得不得了，朝着貘们使劲挥了挥手，然后兴奋地告诉鲁滨逊：

“貘可是非常神奇的动物。很久很久以前，神把牛的蹄、猪的身体和大象的鼻子组合在一起，创造了貘。”突然，他转过头，对鲁滨逊说，“说不定你也是这么做出来的！”

“你说我像什么？”

“你长得像骡子，行为像小狗，吃饭的样子又像猪。”

“你、你……”

玛库纳伊玛兴致勃勃地看着鲁滨逊发怒的样子，然后又忽然难过起来："貘是把安第斯和亚马逊当作自己的家才回来的……可现在却很少见了。连我也差不多三年没见过它们了。"

"那它们都去哪儿了呢？"

"还能去哪儿，当然是被那些无耻的入侵者抓走了。"

玛库纳伊玛的声音充满了伤感。他抬起头，望着天空，眼睛里闪烁着晶莹的泪光。

"咚——咚——咚——"正在午后温暖阳光下打盹的鲁滨逊忽然睁开眼睛，不知从什么地方传来了悠长的鼓声。玛库纳伊玛也听到了这声音，正警觉地查看着河边的丛林。

"这是什么声音呀？好像是鼓声。"

"不是，这是博拉库塔克的声音。"

"什么意思？"

"这是一种树的名字。因为博拉库塔克树的树干是中空的，所以用它做成的木棍在敲击时，就会发出这种声音。这是一种在丛林里发信号的方法……"

"那么，是印第安人吗？"

"这附近没有印第安部落。也许……是入侵者。"

入侵者？！是玛库纳伊玛深恶痛绝的入侵者？鲁滨逊突然害怕得心怦怦直跳，全身都紧张起来。玛库纳伊玛一脸严峻地说：

"没错，一定是来抓刚才那些貘的家伙。"

"那，那我们快跑吧！要是把我们也抓走怎么办？"

"干吗要跑？我们得去救那些貘才行。"

玛库纳伊玛立刻把独木舟划向岸边。不知所措的鲁滨逊在一

旁愣愣地看着，因为害怕，他紧紧地攥着拳头，手心里还直冒冷汗。

入侵者们就在不远的地方。印第安人保存大米和豆子的小仓库好像已经成了他们的临时据点。他们都戴着牛仔一样的宽檐帽，手里拿着长长的猎枪，大概有十来个人的样子。

鲁滨逊和玛库纳伊玛藏在窗户后面，悄悄地注视着他们的举动。一个看上去像是头目的大块头焦躁地说：

“喂！怎么还没有消息呀？难道又没碰着？”

“应该快回来了吧，老大。”

“这次一定要抓住它们。我们都已经失败三次了。”

“老大放心，这回一定没问题的。”

“拿酒来，我要边喝边等。嘎嘎嘎——”

“给你，老大。”

大块头举起酒瓶，大口大口地喝起来。然后，他把手下们都叫到自己面前。因为喝了好多酒，他的脸已经红得像猴子屁股一样。

“再来说一遍我们塔白拉族的生活信条是什么，开始！”

“塔白拉族，碰到的都砍！塔白拉族，碰到的都抓！塔白拉族，不相信血，也不相信眼泪！塔白拉族万岁！莫基拉尤首领万岁！”

这时候，玛库纳伊玛的脸已经绷得紧紧的。鲁滨逊低声问：

“你知道这个塔白拉族？”

“怎么能不知道！塔白拉族是亚马逊最无耻的入侵者。这帮家伙砍掉丛林里的树木，还抓走了无数的野生动物。”

“那个叫莫基拉尤的就是他们的首领？”

“那个家伙是最可恶的，性格暴戾，有几百个手下。他们是一个暴力组织。”

暴力组织？那不就是说，一旦被抓住，恐怕连尸骨都找不到。鲁滨逊脑海里突然浮现出不久前看过的一部电影中的恐怖情景。玛库纳伊玛再怎么勇敢也敌不过这些拿着枪的恶棍啊。

“我们该怎么办呀？”

“什么怎么办，当然是要把这些人赶走，好救那些貘呀。”

“可是，我们怎么才能把他们赶走呢？”

“你先别吵，我这不正在想嘛。”玛库纳伊玛轻轻闭上双眼，陷入了沉思。为了摆脱烦躁，鲁滨逊用手指在地上胡乱写着字。枪、手榴弹、炸弹、催泪弹、激光……唉，要是能有其中的一样，就完全可以把这帮家伙打成粉末。有什么好办法呢？

等等！粉末？粉末……

## 亚马逊的环境警报
## ——入侵和灭绝！

亚马逊是野生动物的天堂，而现在，它正面临巨大的危机。由于人类的盲目入侵，动物们赖以生存的家园遭到严重的破坏，每年因为入侵者而死去的动物多达1000万只。如果照这样继续下去，大部分物种都将完全灭绝，最后剩下的就只有照片或者标本了。

亚马逊的貘呈现给我们的，就是百万年历史的终结。而“沼泽之王”宽吻鳄（凯门鳄），由于遭到那些盯着鳄鱼皮的人的捕杀，数量也在迅速减少。还有被称为“亚马逊之王”的美洲豹和美洲狮，陆地上最大的啮齿类动物水豚，丛林中防卫本领最强的犰狳，亚马逊的福神金狮面狨……除此以外，还有无数其他动物也成了入侵者的目标，正一点一点地从丛林中消失。

其他地区的情况也和这里差不多。非洲、亚洲就不用说了，甚至连南极和北极也没能躲过入侵者的魔爪。每年被用来制作毛皮大衣而死去的动物就多达4000万只。

韩国也不是动物们的安全区。据“韩国生物多样性协会”的调查，目前韩国26%的哺乳动物、13%的鸟类、19%的淡水鱼类、60%的两栖类动物、45%的爬行类动物都已经成为稀有品种，有的甚至正处于灭绝的危机中。将来韩国的孩子们说不定连松鼠、青蛙、麻雀、泥鳅这些小动物都无法见到了。

当前，地球上每年都有大约 4 万种生物灭绝。根据联合国的报告，在今后的几十年里，地球上将有 1/4 的生物消失。也就是说，如果地球生物有 1000 万种，就会有 250 万种灭绝，如果地球生物有 3000 万种，那么就会有多达 750 万种灭绝。比白垩纪恐龙灭绝事件更残酷的大规模灭绝事件即将到来。而两者之间最大的差异就是，此次灭绝的原因大部分是人类造成的。

接连不断的生物灭绝会破坏食物链，打乱自然界的平衡状态，最终整个生物界都会陷入灾难。入侵和屠杀，森林遭到砍伐，湿地和沙滩的破坏等所有人为破坏环境的行为，终归会报复在人类身上。对人类来说，亚马逊发出的环境警报是一个关乎所有人未来的重要警示。

# 粉末炸弹大决战

“对啊！就是粉末！”

鲁滨逊眨巴着眼睛，低声叫道。玛库纳伊玛吓了一跳，使劲捂住了鲁滨逊的嘴。

“小声点儿，万一被他们听见可怎么办？”

“粉末，用粉末！”

“你说说怎么回事，什么粉末？”

于是，鲁滨逊开始给玛库纳伊玛讲解以前在电视里看到的粉末炸弹。他记得，好像是在空中撒一些细小的面粉，这些面粉一旦沾到火，就会发生威力强大的爆炸。

“你是在瞎编吧，面粉怎么可能爆炸呢？”

“是真的，你相信我！难道电视里还会骗人吗？”

“可是，现在我们也没有面粉呀。”

“可以用别的粉末来代替。我想，它应该可以发挥与面粉一样的威力。”

“这个根本……”

玛库纳伊玛摇着头，还是不太相信，不过他还是钻进仓库，拖了满满一袋豆子出来。这是一种叫“培伊荚”的亚马逊豆子。印第安人在煮肉或者做菜的时候，常常会放点这种豆子。

“拿来了，下面该怎么办？”

“得把它捣碎，碾成粉末。必须碾成最细最小的粉末才行！”

鲁滨逊来了精神，向玛库纳伊玛下达着指示。老是被叫作笨蛋的鲁滨逊，这一次终于找到了大显身手的机会。炸弹制作一定要成功，也让玛库纳伊玛看看我的本事……鲁滨逊集中全部精神，开始仔细回忆在电视里看过的内容。

“粉末要很细，温度要高，还要有密封的空间……还有什么来着？对了，湿度要低。”

“笨蛋，这根本不可能。亚马逊是一个水汽蒸发量很大的地方，怎么可能湿度低呢？”

“……说得也是。”

鲁滨逊闭上了嘴，气焰一下子低了不少。好不容易想出了好办法，可周围的条件又没法满足。玛库纳伊玛好像看透了他在想什么一样，咂着嘴摇了摇头。

这时候，忽然传来貘的惨叫声。原来是莫基拉尤的手下拉着抓住的貘回来了。他们把貘拴在仓库角落里的柱子上，就开始喝酒庆祝起来。

忽然，一直愁眉苦脸瞅着塔白拉族的鲁滨逊，眼睛亮了起来。这些坏人找来了好多树枝，在仓库里点起熊熊的火堆，看样子是想烤鱼来下酒。

“有了！”

“怎么？”

“如果他们点起火堆，仓库里会立刻变干燥。因为有火，水汽会快速蒸发掉。”

“那又怎么样？你怎么才能把这些粉末扔到火堆那里呢？”

“笨蛋，要动动脑子嘛。”

终于有机会叫玛库纳伊玛一声“笨蛋”了，鲁滨逊心里简直乐开了花。到目前为止，一直都是自己当笨蛋，现在，形势终于得到了逆转。

“我们可以爬到仓库顶上，把粉末从缝隙里撒下去。这样，粉末掉到火堆上的时候，就会发生爆炸。这帮家伙会被吓得四处逃窜，这时候，我们就可以趁机过去解开绳子，把貘放走了。怎么样，我的计划很棒吧？”

“那还不如把粉末团成团儿，从门缝里扔进去。”

“那样不行！粉末必须最大限度地和空气接触，才能爆炸。所以，得把粉末里的小粒儿一个个碾碎才行。团成团儿的粉末就是拿到火上烧，也不会爆炸的。”

“那谁上屋顶去呢？”

“当然是你了，这还用问，我有恐高症。”

玛库纳伊玛想了一会儿，最后点了点头。虽然鲁滨逊看起来不是特别可靠，但现在也没有别的更好的方法，只能先这么办了。

他用一片很宽的树叶把粉末包好，塞在腰间，然后踩着窗框，一点一点爬到屋顶上。在一旁盯着他看的鲁滨逊比他还紧张，额头上渗出了一层密密的汗珠。

“好了！现在慢慢地撒吧。”

鲁滨逊用手指比画了一个圆形信号。

玛库纳伊玛在屋顶上趴好后，开始慢慢向仓库里撒粉末。细小的粉末像灰尘一样飘落下去。

由于火上的热气，这些粉末没法落到地面，就浮在了空中。白色的粉末无声地落在了那些恶棍们的头上。莫基拉尤对着手下们瞪起眼睛，大嚷道：

“你们这些混蛋！还不去把头发洗洗干净。怎么会有这么多头皮屑？干脆把头发剃光算了！”

“不是啊老大，我们才洗了不到一个星期呀。”

“真是些邋遢的家伙。”

莫基拉尤嘀咕着，一低头，看见他的下酒菜里也沾着一些白色粉末。就在这时——

“嘣！砰砰嘣！”

如同手榴弹爆炸了一般，一阵剧烈的爆炸声震动了整个仓库。那些恶棍们一个个都吓得魂飞魄散，惨叫着摔倒在地上。

“啊！这到底是怎么回事?！”

“哎呀！我的屁股着火了！”

“呀呀呀，快给我拍拍头上的火！”

趁着坏人们鸡飞狗跳的工夫，玛库纳伊玛从屋顶上溜下来，迅速跑到拴貘的柱子前，解开了绳子。

貘们像表示感谢似的，向玛库纳伊玛晃了晃脑袋，然后飞快

地向丛林深处跑去。一直站在远处看着的鲁滨逊这时候高兴得跳了起来，大喊着万岁。粉末大战取得了胜利。

鲁滨逊和玛库纳伊玛头也不回地向独木舟的方向跑去。虽然跑得上气不接下气，可心里却高兴得不得了。因为他们亲手解救了陷入危机的貘。让鲁滨逊觉得格外高兴的是，他终于向玛库纳伊玛证明，自己不是什么都不懂的笨蛋。

“哈哈哈，真是太痛快了！”

“是啊。看来你不像我想象的那么笨嘛。”

“当然了，现在，我们快点出发去找桃花心神木吧。”

鲁滨逊一边说，一边把手搭在玛库纳伊玛的肩膀上。

“想走？没那么容易！”

就在这时，突然从后边传来一个阴沉的声音。鲁滨逊吓了一跳，回头一看，不是别人，正是塔白拉族的头目莫基拉尤。此刻他正恶狠狠地盯着他们俩。啊！鲁滨逊吓坏了，拔腿就想跑，可是已经来不及了。他们的独木舟上也早已站满拿枪的坏蛋。

“你们就是刚才偷袭我们的小子吗？”

莫基拉尤圆瞪着眼睛走过来。他的头发刚被火烧过，卷曲着，好像刚去美容院烫过一样。莫基拉尤伸出像锅盖一样又厚又大的手，一把抓住他们两个人，冲手下大声命令着：

“把这两个家伙给我带走！”

**你知道吗？**

头皮屑是头皮老化的角质层与皮脂的分解氧化物混合后产生的鳞状现象。像雪片一样飘落的是干性头皮屑，凝结在发根周围的是脂性头皮屑。脂性头皮屑是由一种奇怪的真菌引起的，情况严重的时候，还会导致慢性皮炎。如今，头皮屑几乎已经成了烦恼的代名词，要想预防，最好的方法就是随时保持清洁。

充满氧气的火棉(硝化纤维)一旦着火，燃烧速度会比其他棉花快得多。另外，粒子结构细小、与空气接触面积大的丝瓜状的铁沾上火，也会神奇地燃烧起来。由此可见，由于粒子结构和氧气量的缘故，物质的可燃性会发生大幅的变化。

桃花心木是一种生长在热带地区的结实的乔木。它的树干坚硬粗壮，可以长得很高，枝叶都长在比较靠上的部位。这种树的树皮呈红褐色，广泛分布于南美、南非、西印度群岛等地。由于它颜色漂亮，构造紧密，经久耐用，所以经常被用于制造高级家具。

# 煮熟的鸟蛋与生鸟蛋的差别

“饶命啊，大叔，饶了我们吧。”

鲁滨逊一把鼻涕一把眼泪，对着莫基拉尤不停地求饶。在一边的角落里，他的手下们已经把柴火堆得像山一样高了。莫基拉尤根本不理会鲁滨逊的哀求，转过头问他的手下：“都准备好了吗？”

“都准备好了，老大。”

“那就快点动手吧。他们敢用火暗算我，我就用火烧死他们。今天你们可以尝尝被烧焦的感觉。嘎嘎嘎——”

鲁滨逊彻底绝望了，他望了望玛库纳伊玛。玛库纳伊玛一副印第安勇士的样子，正怒视着莫基拉尤，果然是个不简单的少年……鲁滨逊又开始向莫基拉尤苦苦哀求起来：

“大叔，你饶了我们，我保证以后再也不这样做了。”

莫基拉尤就像什么都没听见似的，只顾着跟他的手下们说话。

“你来答，虽然是河却不能过，这是什么河？”

“是银河，老大。”

“那听听这个，虽然是水，却不能喝，这是什么水？”

“是泪水。”

“算你蒙对了，再听这个。早上四条腿，中午两条腿，晚上三条腿，这是什么东西？”

“这个……是……”

那个手下转着眼珠想了半天，忽然双膝跪倒，说：

“老大，我不知道。”

“蠢东西。连这么简单的谜语都猜不出来。”

“你杀了我吧，老大。”

这时，鲁滨逊突然觉得嘴巴痒痒。他这个人呀，一碰到知道的问题，就忍不住要说出来。终于，他忘了自己现在的危险处境，大声回答说：“答案是人。”

“嗯？”

莫基拉尤意外地望着鲁滨逊，鲁滨逊也正扬扬得意地看着他。

“你也喜欢猜谜语吗？”

“是啊，大叔也喜欢吗？”

“喜欢是喜欢，可我的这些手下都跟刚才那个一样蠢，和他们玩真没意思。”

忽然，莫基拉尤眼睛一亮，想到个好主意。

“你想不想活命？”

“当然了，谁不想活命，难道大叔想死不成？”

“那好，咱们这么办吧，我给你出一题，如果你答对了，我就饶了你，可如果错了，还是要烧死你。怎么样？”

“……”

鲁滨逊犹豫了一会儿，点点头，接受了莫基拉尤的提议。他想，答对了算自己命大，即使答不对，也就还是一个死，不如碰碰运气。他点头的工夫，莫基拉尤忽然不知跑到哪儿去了，过了一会儿，他拿着两个巨大的鸟蛋回来了。

“这里有两个鸟蛋，一个是煮熟的，一个是没煮过的。如果你能把它们区分出来，我就放了你们。不过，绝对不能敲破蛋壳。”

这个莫基拉尤简直太可恶了！光看外表，怎么可能分得出来嘛？鲁滨逊暗自嘟囔着，感到刚刚升起的希望再次破灭了。莫基拉尤得意地从座位上站起来，发出了最后通牒。

“现在我要去方便一下，等我回来你要是还没想出来，可就不能怪我了。好好想想吧，嘎嘎嘎——”

鲁滨逊暗暗祈祷莫基拉尤能便秘，多蹲一会儿再回来。

“可恶，这种事我怎么会知道嘛，连下这两个蛋的鸟也未必知道。”鲁滨逊把蛋拿在手里，翻来覆去地看，又拿到阳光下面照了照。不过，再怎么做也不可能看得到蛋里面的东西啊。大概要用 X 光才能知道吧。

“干脆蒙一把吧。反正概率是一半一半。这个？不对，那个更像一点。不，一般第一感觉总是对的，考试的时候就老是改来改去，结果错了。”

琢磨了半天，鲁滨逊还是拿不定主意。他开始怨恨起出这种麻烦问题的莫基拉尤来，这时，他无意中把其中一个鸟蛋像陀螺一样转到了一边。

摇摇晃晃转回来的鸟蛋一碰到手指就停住了。鲁滨逊又拿起另一个鸟蛋，同样转了一下，然后把手指放上去。这时候，莫基拉尤从后面走过来。

“很难吧？”

鲁滨逊摇摇头，又转了一下鸟蛋。

然后他用手指止住了旋转，又立刻把手指拿开。已经停止的鸟蛋又转了起来。

“真奇怪，怎么又转起来了呢？”莫基拉尤嘀咕着走开了。

鲁滨逊拿起第一次转的鸟蛋，又做了一下同样的实验。与第二个鸟蛋不同，这个鸟蛋一旦停止以后，就再也不动了。难道是因为转的力量大小不同，或者是按的力量大小不同，才会这样的？不过，连续做了好几次实验，结果都是一样。鲁滨逊的眼睛开始闪出智慧的光芒。

“这里面肯定有原因。说不定这就是解开问题的钥匙……”

鲁滨逊闭上眼睛，脑子里开始像鸟蛋似的转起来。停止以后又转的鸟蛋，还有停止了就不再转的鸟蛋，为什么会有这样的差别呢？他把自己对蛋的了解都调动了起来。蛋黄，蛋白，全熟，半熟，煎蛋，炖蛋……思来想去，鲁滨逊突然拍了一下膝盖，大叫起来。

“惯性！是惯性！没错，就是这样。噢，终于得救了！”

“你怎么了？疯了吗？”

一直紧闭着嘴唇坐在一边的玛库纳伊玛烦躁地问。

“笨蛋，是惯性呀。因为惯性，所以才会产生这样的差别。”

“你在说什么？”

“看好了，你来看这两个鸟蛋。”

鲁滨逊一边兴奋地转着鸟蛋，一边解释：

“煮熟的鸟蛋里面是凝固的，让它旋转然后再停下来，它就会立刻停下来。而旋转没煮过的鸟蛋，再让它停下时，它里面的那些黏黏糊糊的东西不会马上停止，而是会继续旋转。所以，如果把蛋止住后拿开手指，由于惯性，没煮过的鸟蛋会再次旋转起来……”

就是这么回事。

“怎么样？我说的没错吧？”

“不明白你在说什么。我就知道你是个靠不住的家伙。”

“难道刚才的炸弹你没看见吗？不过我也才知道，原来我这么聪明。”

就在他们两个你一句我一句吵吵的时候，莫基拉尤又回来了。他的两条腿一瘸一拐的，每次脚踩地的时候，就会像触电一样扭动一下身体。像是因为长时间蹲着，脚抽筋了似的。

“唉，真该死，怎么会突然便秘呢？”

鲁滨逊听见莫基拉尤小声嘀咕着，忽然想到一定是自己刚才的祈祷灵验了，他不禁偷偷地笑起来。而此时心情坏透了的莫基拉尤恶狠狠地问道：

“怎么样？是不是还不知道啊？”

“不知道？怎么可能呢？这么简单的问题也拿来考人？”

“什么？你说很容易是吗？那好，告诉我哪个是没煮过的。”

“就是这个。”

莫基拉尤接过鲁滨逊递过来的那个鸟蛋，翻过来掉过去看了半天。可是，光靠眼睛根本不可能看出鸟蛋有没有被煮过。于是，他叫来站在旁边的一个手下，把鸟蛋递给他说：

“你把这个使劲在脑门上磕一下。”

“是，老大。”

他的手下恭敬地接过鸟蛋，冲着自己的脑门重重地磕了一下。顿时，蛋清和蛋黄从破碎的蛋壳里流了出来，慢慢地流满了整张脸。看到这种情景，莫基拉尤和玛库纳伊玛同时惊讶地瞪大了双眼。而鲁滨逊大声喊着万岁，高兴地跳了起来。

“对啦！现在你该放了我们吧？嘎嘎嘎——”

莫基拉尤盯着鲁滨逊看了半天，最后一脸不情愿地说：

“好吧，我说话算话，这次就放了你们，不过……”

“不过？”

“你们要是再给我们塔白拉族捣蛋，我可不会轻饶你们。一定把你们都烧死。听见了吗？”

“……”

鲁滨逊正犹豫着不知道该怎么回答，莫基拉尤又大声地问了一遍：“耳朵聋了吗？我在问你听没听到？”

鲁滨逊想，好汉不吃眼前亏，于是说：

“知道了。”

“好了，赶快从我眼前消失吧！啊，对了，等等！”

“怎么？”

莫基拉尤凑近鲁滨逊的耳朵，用阴沉的声音说：

“以后，不准再学我笑！”

## 鲁滨逊的秘密武器之一：惯性

惯性，指的是物体想要保持原来的运动状态的性质。也就是说，静止的物体想继续保持静止，而运动的物体想按照原来的速度继续运动。惯性定律就是著名的“牛顿第一运动定律”，也正是鲁滨逊解开问题答案的秘密所在。

要理解惯性这个概念，最适合的例子就是汽车了。如果原来静止的车突然开动，我们的身体就会向后倾；相反，如果正在行驶的汽车突然刹车，我们的身体就会向前倾。这两种现象都是由于惯性而产生的。

由于惯性的作用，如果想改变物体的运动状态，就必须从外部施加力。刚骑上自行车的时候会比骑了一会儿以后，感觉蹬起来更费力，就是由于自行车的惯性造成的。不过，一旦自行车跑起来以后，由于惯性，即使停止蹬踩，自行车还会继续跑一会儿。

物体质量越大，速度越快，惯性就越大。物体的惯性越大，想改变它的运动状态就越困难。如果卡车和轿车以同样的速度行驶，紧急刹车时卡车滑行的距离会比轿车远，这就是因为卡车质量较大，惯性也较大的缘故。当然，如果同样是轿车，以时速100千米行驶的轿车就会比时速50千米的轿车滑行的距离更远。

在棒球比赛中，我们经常会看到击球手不按直线跑，而是绕圈跑。这时候，0.1 秒都是至关重要的，为什么他还要绕圈跑呢？这还是因为惯性。如果从二垒沿直线跑向三垒，那么由于惯性，要突然改变方向是很困难的。

除了直线运动，旋转运动中也存在惯性。旋转的物体如果没有受到外部施加的力，就会持续地旋转，永远转下去。不过，对于旋转惯性，质量的分布比质量的大小起着更大的作用。物体的重心离旋转轴越远，旋转惯性就越大；惯性越大，改变运动状态就越难。在棒球比赛中，握住球棒手柄来击打要比握住球棒中间来击打有力得多，这是因为旋转轴和球棒之间的距离长，因而旋转的惯性就大了。在杂技表演中，演员走钢丝时要举一根平衡杆就是为了把质量尽可能分配到远离旋转轴（身体）的地方。因为旋转惯性增加后，身体就不容易出现严重倾斜。

# 遍体鳞伤的母亲

此时，鲁滨逊满脸忧郁之色。虽然幸运地逃脱了塔白拉族的魔掌，可是下一步该怎么办呢？巴节传达的神谕的含义还没有一点头绪，也不知道桃花心神木到底在哪里。

“你就没想出什么来吗？”

“不知道。当时我又不在家里，没听到神谕。”

“哦，这样啊。你来看，这就是巴节传达的神谕。”鲁滨逊拿出记录着神谕的卷轴。这是希普米特为了方便他路上看，特意用木炭写在竹片上的。玛库纳伊玛仔细地看了一遍，然后摇了摇头：“妈妈生病了？妈妈……妈妈……”

“好好想想，这说的是谁的妈妈呢。你们村子里有没有生病的大婶啊？”

玛库纳伊玛使劲摇着头：“没有。”

“原来连你也不知道。”鲁滨逊失望地叹了口气。

这时，玛库纳伊玛忽然眼前一亮，说：“也许这指的不是人呢。我们印第安人一直都有两个妈妈，一个是生自己的妈妈，还有一个就是大自然。几千年来，我们都把大自然看成妈妈温暖的怀抱。”

“不过，肺生病明明还是指人啊……”鲁滨逊说完这话，忽然闭上了嘴巴。他脑子里好像闪过一丝灵感，为了捕捉到这点灵感，他闭上眼睛，陷入了沉思。“肺，亚马逊，妈妈……肺，亚马逊，妈妈……”鲁滨逊把这几个词翻来覆去念叨了十几遍，终于又睁开了眼睛，他好像发现了什么，咧开大嘴乐起来。

“我想到了，我知道神谕里说的妈妈是谁了！”

“到底是谁？”

“地球。”

“你说什么？”

“亚马逊丛林不就是地球的肺吗？你说得对，神说的妈妈就是指我们生活的大自然。我怎么早没想到呢？在我们韩国，也会把大地叫作妈妈的。”

“不过，他不是说肺生病了吗？那又是什么意思呢？”

“这不是你总挂在嘴上的话吗？丛林遭到破坏，妈妈的肺得病指的就是亚马逊丛林被破坏呀。”

“原来是这么回事啊……”玛库纳伊玛眨巴着眼睛点了点头，不过他又接着问，“那后面的内容呢？男孩指的是什么，女孩又是什么呢？”

“这个我还不知道。不过，我们已经弄清楚，妈妈指的就是地球，或者也可以照你说的，是大自然。啊，终于找到一点线索了。”

鲁滨逊十分高兴，又认真地研究起神谕的其他内容来。此时他感觉自己好像在漆黑的夜路中忽然发现了一丝灯光。

## 生病的地球之肺

亚马逊之所以被称为“地球之肺”，是因为它可以提供大量的氧气。这里的植物通过光合作用制造出来的氧气大约占地球上氧气总量的1/4。如果没有亚马逊丛林，地球上的生物就不可能像现在这样平静地呼吸、生活。可以说，亚马逊丛林掌握着地球生物的“生命”。

但是目前，一些只顾眼前利益和短期便利的人不停地毁坏着丛林，而这实际上也是在对他们自己的生命造成威胁。由于大规模的砍伐和开垦，一年大约就有2万～3万平方千米的亚马逊丛林遭到破坏。在过去的20年里，消失的丛林面积就多达55万平方千米。而整个韩国的面积才10万平方千米，加上朝鲜的面积，也才22万平方千米，由此，我们就可以很清楚地知道事态已经到了多么严重的地步。

和亚马逊一起并称世界三大热带雨林的还有非洲和东南亚的丛林，而它们的情况都与亚马逊相差无几。就在20世纪初，陆地总面积的16%都还覆盖着热带雨林，而仅仅过去了100年，如今热带雨林的面积已经缩小到了陆地总面积的6%～7%。今天，每一分钟都有相当于20个足球场那么大的丛林从地球上消失。如果照这样下去，再过几十年，热带雨林也许一点都不剩了。

如果亚马逊真的消失了，那么世界将会变成什么样呢？就像人没有肺不能活一样，地球没有了肺也无法继续存在。下面就是没有亚马逊的世界：

⑴氧气供应量减少，生物无法正常呼吸。

⑵因为丛林这个巨大的氧气储存仓库没有了，所以动物、汽车和烟囱排出的二氧化碳覆盖了整个地球，世界各地都会出现异常气候。

⑶没有了江河与丛林散发出的大量水汽，就不会形成云，那么就无法阻挡太阳的热量。到那时，人类将迎来比冰河时期更可怕的酷热时代。

读着这些，可能很多人都会这么想，这不过是一种假设罢了，根本不必过分担心。可是如果大家都这么漠不关心，那么大自然必将被破坏得惨不忍睹。这是一个不容忽视的事实，绝不是危言耸听。

# 鹦鹉再次现身

“你要去哪儿？别睡呀。”

“我去休息一下。”鲁滨逊咧着嘴打着哈欠，走到旁边的一棵树后面。其实他是想小便，从刚才就一直忍着，现在再也忍不住了。嘘嘘——听着这声音，他忽然想起了瀑布。

“那瀑布里的鹦鹉要是能再提供点线索就好了……”

鲁滨逊一边小声嘟囔着，一边系上裤子走了回来。这时，忽然有个东西扑啦啦地向他飞过来。然后，一个尖尖的东西刺了鲁滨逊的额头一下，就又飞向了空中。

“什么东西?！”

“是我啊！是我啊！”

不是别人，竟然正是那只从瀑布的胡须里飞出来的鹦鹉。刚才就是它用嘴啄了鲁滨逊一下。呃呃——鲁滨逊用两只手捂着头，愤怒地望着落在树枝上的鹦鹉。

“混蛋！你在干什么？”

“告诉你要小心夜路！告诉你要小心夜路！”

招惹鲁滨逊好像让鹦鹉觉得很有趣，它咯咯地笑着。鲁滨逊虽然气得要命，可是光凭自己的两只手是不可能抓住这只鸟的。

正不知该怎么报复的鲁滨逊忽然想到了什么，他压了压心头的怒火，开始对鹦鹉好言好语。因为他想从鹦鹉这里得到更多关于桃花心神木的线索。鲁滨逊装出一副极为亲切的样子，笑眯眯地对鹦鹉说："嘿，我才发现，原来你长得这么漂亮。"

鹦鹉惊讶地瞧着鲁滨逊。

"别演戏了！别演戏了！我是不会上当的。"

"不是演戏，我说的都是真的。我从来没见过长得像你这么漂亮的小鸟！"

"那当然了！那当然了！"听他这么一说,鹦鹉不由得意起来，放松了警惕。就在这时，不知从哪儿飞过来一条长长的绳子，缠住了鹦鹉。原来是玛库纳伊玛扔过来的猎绳。他把鹦鹉像捆小偷一样绑了个结结实实，然后扔到一棵树底下。

这种在长长的绳子两边绑上小石头的打猎工具叫"博拉"，是一种流星锤。向着目标飞去的博拉可以依靠自身的力量转圈，同时把目标缠住。玛库纳伊玛是乌伊突突部落最棒的猎手，他使的博拉可是百发百中，捉一只小小的鹦鹉，当然不在话下。

"放了我！放了我！"

鹦鹉使出全身的力气，想要挣脱出来，可是翅膀已经被绑得紧紧的，再怎么动也是白费力气。玛库纳伊玛使劲攥住鹦鹉的两条腿，不慌不忙地说：

"你说出桃花心神木在哪里，我们就放了你。要是不说，小心我们把你烤了吃。”

“你真无耻！你真无耻！”

“无耻也没办法。谁让我们必须找到它呢。”

鹦鹉好像知道自己再怎么挣扎都没用，就不再乱动了。然后，它做出一副要泄露天机的样子，神秘地说：

“黑色的水，还有黄色的水。黑色的水，还有黄色的水。”

“喂！你是不是不想活了？你这么说，谁能听得明白？”

鲁滨逊生气地想去抓鹦鹉。可是，玛库纳伊玛却拦住了他，然后点点头，解开了绑在鹦鹉身上的博拉。

“好了，我们就信你说的。”

“喂喂，你就这么放了它我们怎么办？还不知道桃花心神木到底在哪儿呢。”

“它刚才不是已经说了吗？”

“它说什么了？‘黑色的水，黄色的水’是什么意思啊？”

“黑色的水指的是内格罗河，黄色的水指的是索利蒙伊斯河。这两条河在马瑙斯交汇以后，就形成了亚马逊河的主流。看来，桃花心神木应该就在那附近。”

“什么意思啊？世界上怎么会有彩色的河呢？”

“等你看了就知道了。”

玛库纳伊玛把鹦鹉放掉以后，又回到原来的地方躺了下来。鲁滨逊还是觉得有点糊涂，不过他想，这次就先相信玛库纳伊玛一回。获得自由的鹦鹉在他头顶上转着圈，又向鲁滨逊发出了警告：

“白天也要小心！白天也要小心！”

Stage3
亚马逊丛林的
新成员
躲过了旋风水柱、猛烈河潮，
患难之中真情方显，
鲁滨逊用自己爱丛林、保护丛林的举动，
让亚马逊接纳他成为了光荣一员……

# 亚诺玛米族的悲剧

嘶啦嘶啦——

树林里传出一阵脚踩树叶似的声音。正准备吃饭的玛库纳伊玛立刻警觉地竖起耳朵，一言不发地握紧了长矛。鲁滨逊也拔出一支箭，静静地注视着树林。

“啊！”

“哦哦！”

鲁滨逊的叫声和草丛里发出的惨叫几乎同时传出。看样子，不仅鲁滨逊被吓了一跳，对方也被吓得不轻。

一个中年印第安男人背着个大篓子，瞪着眼睛，大张着嘴，站在那里，一副受了惊吓的样子。

“你们是什么人？”

印第安人用无力的声音问道，他的脸色苍白，没有一点血色。他好像全身都受了伤，似乎已经在丛林里挣扎了很久，细细的两条腿连支撑身体都很吃力，正瑟瑟发抖。

“我是乌伊突突部落的战士，名叫玛库纳伊玛。他是我的手下。

大叔您是谁？”

“什么？我是你的手下？有没有搞错啊……”

鲁滨逊大声抗议，而玛库纳伊玛却飞快地伸手捂住了他的嘴。没想到玛库纳伊玛的手这么大，连鲁滨逊的鼻孔也一起捂住了，没法呼吸的鲁滨逊拼命挥舞着两只手。看到他们俩的样子，印第安人微笑着说：

“我是亚诺玛米部落的战士，我叫穆加普耐，见到你们非常高兴。”

穆加普耐刚说完这句话，就瘫坐在了地上，一副筋疲力尽的样子。一眼就能看出，他一定是得了什么很严重的病。玛库纳伊玛拿了一些食物给他，小心地问：

“我听说亚诺玛米部落住在离这里很远的北边，你怎么会到这儿来呢？”

“我是来找普奇纳的。”

“普奇纳？就是那种神奇的草药？”

“是的。只有找到它，才能治好我们部落所有人的病……可是，我们也只在传说中听说过它，我真不知道哪里才能找得到。”

“你们到底得了什么病，一定要用这种草药呢？”

穆加普耐没有回答，而是拿出了一根用木头制作的短烟管。抽了几口烟以后，他开始讲述起亚诺玛米部落遭遇的悲剧。

“那种该死的病最早出现在大概十几年前。最开始，河里的鱼一群群地死去，全都浮到了水面上，不久，吃了这些鱼的鸟和牲畜都像疯了一样，有的飞，有的跑，都掉到河里去了。当时我们都还以为，这是牲畜间的传染病……可是最后，连人也染上了这种病。”

“怎么回事？”

“刚开始是身体不停地发抖、抽筋。后来，连手脚也不听使唤了，手指无法伸直，就好像死神要降临一样，舌头发硬说不了话，眼睛模糊看不清东西，而且，部落的女人变得不能生孩子……就这样，最后大家都死了。部落的巴节们做了无数次的法事，可是一点作用也没有。”

“怎么会有这种事呢？”

“你们不知道是什么原因吗？”

“开始的时候，我们一点都不明白，都以为这是神的诅咒。不过后来，我们仔细地想了想，觉得可能是因为金矿。”

“金矿？”

“大约十几年前，我们部落的领土上被发现了许多大规模的金矿。想来淘金的人像云彩一样充满了整个部落。众神和丛林在一夜之间失去了几千年的宁静。他们把加工金子时用的那些药品一股脑儿扔到了河里。从那时候起,这种可怕的病就开始出现了。”

“太过分了！”鲁滨逊气愤地大叫着，“加工金子的药品……天哪！那不就是水银吗?！”

“水银？这个东西那么厉害吗？”

“岂止是厉害那么简单呀。如果水银堆积在人体内，就会麻痹神经，还有可能让人丧命。没错，这位大叔部落的人一定是水银中毒了。”

“你怎么知道得这么清楚？”

“小时候在学校里学过的呀。听说，日本也曾经因为这种病死了一大批人。”

听了鲁滨逊的话，穆加普耐好像遇到救世主一样，急切地问：“那，你一定知道怎么治这种病喽。我们现在该怎么办呢？”

“这个嘛……”鲁滨逊一时不知道该怎么回答，闭上了嘴巴。这可是一种很严重的疾病，就算是在大医院里接受长期的治疗也不一定能治好。而生活在亚马逊腹地的印第安部落就算做梦，也不会获得那样的治疗的。

穆加普耐好像已经从鲁滨逊的脸上读懂了答案。他绝望地垂下头，流下了几滴浑浊的老泪。

鲁滨逊和玛库纳伊玛无能为力地站在一旁，默默地看着他。

“现在我该走了。为了那些得病的族人，无论如何我也要找到普奇纳。谢谢你们分给我东西吃，祝你们一路顺风。”

“加油啊，大叔！你一定会找到那种草药的。”

“谢谢，如果真能那样就好了。”

穆加普耐寂寞地向他们挥了挥手，迈着沉重的脚步消失在丛林里。鲁滨逊虽然十分担心他在丛林中会遭遇什么不测，但是又不能切断他的希望，只能真心地为他祈祷，祈祷他能够如愿找到那种神奇的草药。

和穆加普耐分手以后，两个人很长时间都没有说一句话。鲁滨逊恨死了那些为了自己的私欲而破坏亚马逊丛林的人，现在，他好像也可以真正理解为什么一提到入侵者，玛库纳伊玛会表现得那么愤怒了。

“这些坏蛋，就为了得到那些破金子，竟然连别人的性命都不管……”玛库纳伊玛恨恨地嘟囔着。

鲁滨逊听了，忽然又想起巴节传达的那个神谕来。生病的地球，生病的亚马逊，还有生病的人们，神的启示就是要治愈所有这些疾病，鲁滨逊不禁觉得心头隐隐刺痛。

**你知道吗？**

1956 年，日本南部的沿海城市水俣市发生了一种集体性的怪病。它夺去了 50 多人的生命，还让许多人变成了残疾人，这种病的原因就是水银（学名汞，Hg）中毒。建在海边的肥料工厂向海里倾倒水银，然后毒性通过鱼和贝类传给了人。因为这次事件的发生地是水俣市，后来这种水银中毒就被称作水俣病。还有由于镉污染而产生的疾病，它和水俣病都是公害病的代名词。

## 流淌在亚马逊的死亡河水

亚诺玛米部落的领土位于亚马逊北部，那里从1987年就开始了金矿开采活动，因为那一地区的山坡上蕴藏着大量的黄金和金刚石。500年前的“埃尔多拉多（黄金国）”的传说又复活了，于是，梦想着一掘千金的矿产商和投机者都迫不及待地涌向了亚马逊。

黄金国埃尔多拉多的传说是从印加帝国的灭亡开始的。1532年，印加帝国的阿塔瓦尔帕皇帝被来自西班牙的征服者皮萨罗俘虏，百姓们为了救他们的皇帝，收集了大量的黄金。几天的时间，他们就收集到了6吨黄金，从那时候开始，“亚马逊有一个黄金国”的传说就在整个欧洲流传开来。

这个传说引起了整个欧洲大陆的热切关注。人们组织了远征团，希望能找到传说中的黄金。然而，他们中的大部分人不仅什么都没有找到，还葬身在丛林深处。大约200年之后，人们才发现，传说中位于黄金国附近的“帕里麦湖”实际上根本就不存在。

但是，这场黄金风暴给丛林和印第安人留下了难以平复的创伤。因为投机者和5万多名矿工的涌入，丛林遭受了残忍的破坏，可怕的传染病也开始在亚诺玛米部落流传。矿工们带来了疟疾、结核，还有性病，至少夺去了1500名印第安人的生命。

加工金子时使用的水银更把亚诺玛米部落变成了一块死亡之地。采矿商随意抛洒在河水和丛林中的水银有1000余吨之多。从上游的河流中流下的水银随着河水，流过了几百千米，导致鱼类大批死亡。亚马逊河流淌的曾经是生命的乳汁，如今却在一天之内变成了死亡的废水。

在被水银污染的河水和丛林中，人类也不能继续安逸地生活下去。穆加普耐和他的族人们所患的病就是由于水银中毒而引起的水俣病。这种曾在20世纪50年代肆虐于日本列岛的致命疾病，现在蔓延了亚马逊的印第安部落——这些比世界上任何一个民族都更加热爱自然、与自然唇齿相依的丛林之主身上。

1999年2月3日，只要是热爱自然的人们都应该牢牢记住这个日子。这一天，科学家们对亚马逊一带发出了不知何时才能解除的“水俣病警报”。

## 朋友的含义

亚马逊的夜空像画卷一样美丽。大大小小的繁星散落在空中，散发着宝石般的光辉。鲁滨逊和玛库纳伊玛并排躺在草地上，旁边点着一堆熏蚊子用的烟火，没有人出声，他们都静静地仰头看着这幅美妙的景色。

“你知道在印第安语里，‘朋友’是什么意思吗？”

“不知道，是什么意思？”

“朋友就是‘能与你分担忧愁的人’。”

“说得真好。”

“印第安的俗语中还有这样一句话：好的朋友可以把路变短。”

“这句话也说得不错。”

“刚刚我在想，我已经把你当作我的朋友了。”

“为什么？”

“你比我想象的更聪明、更勇敢，不过，还不光是因为这些。刚开始的时候我不知道，现在我知道了，你也很热爱自然。刚才，看到你送别穆加普耐大叔时的那种表情，我一下子就明白了。只要是热爱亚马逊的人，不管是谁，都是印第安人的朋友。”

“……”

听他这么说，鲁滨逊一方面觉得很高兴，可另一方面也觉得很惭愧。因为自己对亚马逊丛林的热爱，正是从玛库纳伊玛身上学到的。鲁滨逊觉得，对一棵树、一只鸟都倾注了无限热爱的玛库纳伊玛真是自己最好的老师。任何一本书、一部电影，都不能像玛库纳伊玛这样生动地教授自己对自然的热爱。

“人类是多么奇怪啊。如果毁坏了自然，就算现在挣到了再多钱，可是以后一定会付出更沉痛的代价。他们总觉得大自然的资源取之不尽、用之不竭，可这种想法是错误的。如果照这样继续下去，以后他们一定会后悔的。”

“……”

“以前，巴节给我讲过一个能下金蛋的鹅的故事。贪心的主人杀死了鹅，最后也失去了所有的金子。如果他能好好地养着这只鹅，每天都可以得到金子，可是他以为把鹅杀了，就可以一次得到好多金子，这想法真是太愚蠢了。”

“我也听过这个故事。”

“在亚马逊任意砍伐树木、捕猎动物的那些人就跟这只鹅的主人一样。他们只想着得到更多，只看到眼前的利益，简直就是被钱财冲昏了头。连动物都明白的道理，为什么他们就不明白呢？”

“什么道理？”

“你还记得上次我们救的动物吗？”

“你是说那些貘？”

“是的。貘其实也像你一样贪吃，他们几乎整天都在吃树叶。不过，他们绝对不会把一棵树上的叶子全部吃光。即使这棵树还有好多树叶可吃，他们也会把那些树叶留着，而去找别的树。”

“这是为什么呢？”

“你这个笨蛋，动动脑子嘛！如果把叶子全吃光了，树不就要死了吗？”

“哦，是这样啊。”

“如果树死了，它们的食物就会减少。而且，生活在树上的那些生物也会死，丛林就会失去平衡，那么到最后，貘也无法在丛林中生活下去。所以，就是再饿也不能毁掉生存的基础，连貘都懂得这个道理。”

“哇，真是些神奇的家伙。”

“不光貘，其他动物也是这样的。连不能说话的动物都懂得这样的道理，而万物之灵的人类竟然还不如这些动物。这是多么让人难过的事啊。”

“你说得很对。”

鲁滨逊点了点头，感叹着自然界存在的奇妙秩序，想到自己或许也像鹅的主人那样愚蠢地生活过，不禁对玛库纳伊玛又生出几分感激之情。要是没有玛库纳伊玛，也许到现在自己还没有醒悟呢。

夜已经很深了，两个人还饶有兴致地聊着。鲁滨逊开始添油加醋地给玛库纳伊玛讲起自己在无人岛上的经历来：

“所以，当时我和野猪可是一对一……它两边的臼齿都突在外边……可我一点儿也不害怕……”

正说得兴高采烈的鲁滨逊忽然发觉，玛库纳伊玛一直都没有说话。他摇了摇玛库纳伊玛的肩膀，可没有一点反应。

“喂，玛库纳伊玛，睡着了？”

“呜呼——噗——”代替回答的是一阵鼾声。怎么能这样嘛，朋友在一边说话，他竟然不听，自顾自地睡了，还这么大声地打呼噜……鲁滨逊生气地说：

“坏蛋！真不够朋友！”

你知道吗？

绿色植物通过光合作用来获取生长所需要的养分。负责进行光合作用的就是树叶中的叶绿素。要想进行光合作用，还需要二氧化碳、水和光。通过根和叶子吸收的水和二氧化碳要依靠叶绿素才能转化成碳水化合物和氧气。如果貘把树叶都吃光了，那么这棵树就无法进行光合作用，就会因为营养失调而死去。

亚马逊的食蚁兽虽然一天就要吃掉15000只蚂蚁，但绝对不会一次就把肚子填饱。它吃掉500只以后，就会去找别的蚂蚁洞。也正是因为这个原因，蚂蚁才能继续繁殖下去。如果丛林没有了这些蚂蚁清道夫，很快就会变成一个垃圾场。亚马逊的所有动物都像食蚁兽一样，具有维护丛林的本能的智慧。

# 魔法水柱

轰隆隆——

头上突然掉下豆大的雨点来，有力的雨点好像连宽吻鳄结实的背脊都可以打穿似的。玛库纳伊玛急忙把独木舟向河边划去。因为他预感到，这场雨与平时不同，紧接着很可能有一场大暴雨。

“嘿，这是怎么回事啊？”

“谁知道。看样子,不是天破了个洞,就是老天爷要方便一下。”

两个人忧虑地望着天空和河水。雨柱密密地倾斜下来，看上去就像是一条垂直流淌的河，或者说几乎成了一条瀑布，河水在飞速地上涨，几乎要顶到天了。

轰隆隆——咣咣——

巨大的雷声震撼着整个丛林。一直趴在河边的宽吻鳄们好像也受到惊吓，都急急地爬走了。玛库纳伊玛的脸色越来越严肃。

“太奇怪了，一定是要出什么事。”

轰隆隆——轰隆隆——

雷声刚刚平静下来，鲁滨逊的耳边就响起一阵奇怪的声音，听上去就像飞机经过时发出的声音。

“这是什么声音？”

就在这时，河对岸的丛林上空腾起一股颜色微黑、像烟似的东西。这股在长长的雨柱中显得十分朦胧的烟正飞快地向河边移动。那是什么呀？在这么大的暴雨里怎么会有烟呢？正愣愣地注视着对岸的鲁滨逊忽然瞪圆了眼睛。

“啊！”

原来那是个巨大的旋涡。一股巨大的旋风正卷起周围的一切向他们这边移动，一人粗的大树也轻而易举地被风卷起，抛向空中。

“啊呀呀，快跑吧！”

鲁滨逊一边跺脚，一边对玛库纳伊玛大叫着。可是，玛库纳伊玛却像脚下生根了一样，站在原地一动也不动，出神地注视着旋风，对鲁滨逊的叫喊好像一点都没听见，只是自顾自地嘟囔着：

“飞龙……”

焦急的鲁滨逊一把抓住玛库纳伊玛的手，大喊着：“喂，快跑啊！你在干什么？要是被旋风卷走了，我们可就都没命了。”

就在这时，河中央又爆发出一声比刚才更大的巨响。鲁滨逊觉得耳膜都要被震破了，而这一次，站在旁边的玛库纳伊玛忽然像闪电一样大喊了一声：

“飞龙！”

正扭头向河边看的鲁滨逊一听这话，吓得嘴巴张得大大的。

这种景象太奇异了。巨大的水柱呈螺旋状上升，直径足有 20

米，好像瀑布一般立于水面，仿佛一条升天的巨龙直指天空。站在地面上根本就看不到水柱的尽头在哪里，只看见蹦跳的鱼像落叶一样被卷向天空。

“怎么会这样？”鲁滨逊像丢了魂一样，不知所措地望着这股巨大的水柱。他简直不能相信眼前的一切……看到鲁滨逊像傻了一样张着嘴愣在那里，玛库纳伊玛好像要安慰他似的，用手指对着鲁滨逊划了个圆圈。

“别害怕了，飞龙大部分都在水面上，不会到这边来的。”

“飞龙，你说那个水柱叫飞龙？”

“你看它，不就像一条龙飞起来的样子吗？”

“怎么会有这种事……我亲眼看见都不能相信。”

“是啊，这种景象我也只见过两三次而已。”

大约持续了十几分钟后，水柱开始消退，接着就从眼前消失了，就好像打开的水龙头又被拧紧了一样。水柱消失后的河面上就像什么也没发生过一样，水流还像原来那样静静地流淌着。

“咻，差一点就飞到天上去了。”

鲁滨逊摸了摸下巴，大大地吐了口气。不过，玛库纳伊玛的表情仍然十分严肃，好像在认真思考着什么事情。

“这不是个好兆头，一定是要出什么事了。”

“什么，不是都已经过去了吗？”

“飞龙是过去了。”

“那还有什么没过去呢？”

“诅咒。”

“嗯，诅咒？”

“在亚马逊有这样的传说，飞龙是被一种可怕的魔法召唤出来的。所以，飞龙过去以后，这个魔法的诅咒就会应验……”

啊！鲁滨逊吓了一跳，马上捂住了玛库纳伊玛的嘴。他转了转眼珠，然后责备地说：

“嘿！你才几岁呀，就这么乱说话？那些都是迷信。飞龙只不过是一种自然现象罢了，绝对没有什么诅咒。”

“我也希望是这样，可是……”

“可是什么？”

“反正我有很不好的预感。”

咯咯咣！玛库纳伊玛的话刚说完，忽然传来一声震耳的巨响，几乎震得天空都摇晃起来。

# 亚马逊的河潮

也许是因为白天看到水柱的关系，鲁滨逊一晚上小便了好几次。这已经是第四次起来了，他迷迷糊糊地走到树后，解开腰带。

嘘嘘——

“嘻嘻，小时候就数我滋得最远。”

一阵风吹过，他打了激灵，急忙系好裤子。这时，忽然传来一阵奇怪的声音。

唰唰——

“嗯？”

这是什么声音？我已经尿完了呀。鲁滨逊摇摇头，慢慢地向漆黑的河边走去，想看看是哪儿发出的声音。

过了一会儿，鲁滨逊的眼睛突然睁得像乒乓球一样大。本来捆在河边的独木舟，不知道被谁解开了，正咚咚地向河上晃。鲁滨逊大喊一声，跑过去拼命要抓住独木舟。

“别走，这是怎么回事啊？”

突然，鲁滨逊脑子里闪过一个念头，呆在了那里。如果独木舟在河面上漂，应该是漂向下游才对呀。可是现在，独木舟却在向上游走。没有船夫的船竟然在逆流而上。

“我是不是在做梦啊？”

鲁滨逊怀疑地用手打了一下自己的脸，可就在这时，刚才听到的声音又在耳边清楚地响起来。

嘘嘘——轰隆隆隆——

一股不祥的恐惧感向他袭来。这时，他看见玛库纳伊玛举着火把向这边跑过来。

“快跑！快跑呀！”

“怎么了？为什么要跑？往哪儿跑啊？”

“傻瓜，我让你快点到独木舟上去。”

“为什么？”

“河潮。再磨蹭就没命了。快跑呀。”

河潮？鲁滨逊虽然没听懂是什么意思，但一听说再磨蹭就要没命，还是感到了一阵恐惧。他什么都顾不得了，一头扎进了河水里，紧接着，玛库纳伊玛也哗哗地游了过来。爬上独木舟以后，玛库纳伊玛的脸上显现出前所未有的紧张神情。

“到底出了什么事？河潮是什么东西……”

鲁滨逊喘着粗气，说到一半就说不下去了。不过，就算他继续说下去，玛库纳伊玛也根本听不见。因为此时，河流的上游正爆发出一阵惊天动地的巨响。伴随着声响，水流也像汽车一样快速地逆流而上。而且，那简直已经不是普通的水流，而是巨大的波涛了。波涛像一个张着血盆大口的怪物，猛地涌了上来。

这太不可思议了。这里是河而不是大海，但现在却出现海一样的波涛。难道真像玛库纳伊玛所说的，魔法水柱之后紧接着的就是诅咒吗？

不过这时候已经没时间再多想了，波涛已经涌向了他们乘坐的独木舟。小小的独木舟像一片树叶一样，被高高掀起的波浪抛到了浪尖上。

“啊！噗噗——”

“抓紧！一松开就要喂鱼了。”

逆流而上的猛烈的河潮把河边的大树连根拔起，碗口粗的大树像火柴棍一样飞起来，从独木舟上飞过去。

鲁滨逊和玛库纳伊玛使出吃奶的力气，紧紧地抓住船帮，根本就没有办法摇动船橹。他们所能做的就是努力待在船上，不掉到水里。独木舟被送到五六米高的浪尖上，然后又掉下来，就这样不停地反复着。

轰隆隆隆隆——唰唰——

“噗——你没事吧？”

“嗯，还好。”

呜噜噜噜噜——唰唰——

“咕嘟嘟——坚持得住吗？”

“嗯，可以！”

翻腾的河水灌进了两个人的耳朵，一下子什么都听不到了，还好这时河潮的水势开始一点点弱下去了。浪涛的高度越来越低，水流的速度也缓慢下来。过了一会儿，河面终于又恢复了平静。

“咻，现在我可知道怎么去龙宫了。”

“我一定会少活 10 年。”

脱离了危险的鲁滨逊和玛库纳伊玛两个人，擦了擦脸，到这时候才大大地舒了口气。鲁滨逊的头发本来就少，现在更是像水草一样黏在头上，看上去可笑极了。

“真是一个可怕的诅咒。”玛库纳伊玛自言自语地说。

这回鲁滨逊也不再有任何反驳了。因为这好像已经不是普通的自然现象那么简单了，河潮的攻击太可怕了。不过，总算都过去了，就算是魔法的诅咒，现在也已经过去了。

**你知道吗？**

用烟熏走蚊子是一种世界通用的驱蚊法。槐树、杉树、核桃树、山茶树、艾草和烟叶等材料的使用由来已久。另外，还有一种叫“除虫菊”的材料，也就是可以驱逐蚊虫的菊花，人们从这种菊花中提取出一种杀虫成分，然后加工出来，就成了我们现在经常使用的蚊香。目前，在地球上生活着超过 3500 种蚊子，吸血的都是雌蚊子，而雄蚊子主要靠吸食果汁和树液生存。

# 恐怖的大蟒蛇

水一点点地落下去，河边的树根也开始显露出来，一些地方露出了沙土。不知不觉，亚马逊已经从雨季进入了旱季。

黎明时分，鲁滨逊从睡梦中醒来，忽然觉得肚子里一阵难受，就去采了几片又宽又软的树叶，然后走到一棵树后，蹲在那里拉起屎来。

“嘘——嘘咻咻——”

不知从哪儿传来一阵长长的尖利的口哨声。鲁滨逊吓了一跳，他警觉地环视了一下四周。突然，他尖叫着扑通一声跌坐在地上，屁股好像碰到了什么尖尖的东西，可现在他已经完全顾不上了。

“啊呀呀——”被叫声惊醒的玛库纳伊玛跑了过来，他一看到眼前的景象，就像石头一样呆立在原地。树上缠绕着一条20多米长的大蟒蛇，正直直地盯着鲁滨逊。

“呃——呃呃——”鲁滨逊的声音像蚊子一样，巨大的恐惧已经让他全身麻痹，哪儿也动不了。

“鲁滨逊，别害怕，没事的！”

“呃呃呃——它咬我可怎么办？”

“它不会咬你的，这种水蟒没有毒，它是用身体把猎物勒死以后再吃的。”

“啊！这就是那种可怕的水蟒吗？”

鲁滨逊忽然觉得眼前一阵发黑，自己现在正与世界上最大、最可怕的蟒蛇对峙。他脑海里立刻浮现出以前看过的电影《狂蟒之灾》中的场面。呃呃，要是被它咬住，恐怕连骨头渣都不会剩下。

这时，水蟒忽然开始嘶嘶地扭动起身体来。它那鳝鱼般粗细的舌头几乎都要碰到鲁滨逊的脸了。呃啊啊——已经被吓得丢了魂的鲁滨逊耳边又响起一阵“咻呜呜”的尖锐口哨声。

“啊！啊呃呃呃——”

忽然，水蟒发出一阵令人毛骨悚然的怪声，好像受惊了似的摇晃着头。树也随着它的摇摆晃了起来，树叶扑啦啦地掉了一地。玛库纳伊玛使劲摇着鲁滨逊的肩膀，大声喊着：“快跑啊！”

“哦呃呃……”

“笨蛋！还不快跑！你不想活啦？”

呃！我不能死。到这时候，鲁滨逊才回过神儿来，他站起身，拼命地跑了起来。经历了飞龙和河潮，他们两个又幸运地逃过了一次危险。

“喂！你跑到哪儿去了呀？”

丛林里传来了玛库纳伊玛寻找鲁滨逊的声音。正躲在一棵树后的鲁滨逊悄悄探出头，恐惧地向四周望了望。

“已经没事了。我让你跑，可你也不用跑出这么远嘛。”

“水蟒走了吗？”

“早就走了，拜托你打起精神来好不好。”

鲁滨逊这才长长地出了口气。可是，他还是弄不明白刚才到底是怎么回事。

“你到底做了什么，那个家伙怎么会跑了呢？”

“就是因为这个。”玛库纳伊玛摇晃着一根长长的箭。这是一种印第安人的捕猎武器。

“真的吗？这么一根小小的箭就能战胜可怕的大蟒蛇？”

“箭的大小并不重要，刺中哪里才是最重要的。”

“那你把它刺在哪儿了呢？”

“就是这儿。”玛库纳伊玛用手指了指自己的鼻梁。

鲁滨逊还是一脸疑惑，又问道：“鼻梁？”

“水蟒的鼻梁上有一个小洞，是一种感觉器官，就和昆虫的触角差不多。那里就是这家伙的要害。”

“哦，你就是把这支箭射到了那个小洞里吗？”

“这一下子就够它受的了。”

玛库纳伊玛耸了耸肩膀，露出了微笑。鲁滨逊立刻把玛库纳伊玛当作了自己的救命恩人，不知道该怎么感谢他才好。不过，另一方面，他又有点担心，这样一来，以后玛库纳伊玛会更得意了。

“他一定会得意至少一个月。”鲁滨逊又长长地舒了口气。

玛库纳伊玛突然蹙起了眉头，他吸了吸鼻子，大声叫着：“喂！还不快把屁股擦干净！”

# 淡水的海洋——亚马逊

顺着河水，独木舟顺利地向东方前进。如果这样下去，很快就可以到达桃花心神木所在的马瑙斯了。

不知不觉中，鲁滨逊和玛库纳伊玛踏上旅途已经过去快两个月了。

嗵——

忽然，好像有个什么笨重的东西重重地撞到了独木舟。独木舟摇晃起来，差一点就翻了过去。

鲁滨逊叫喊着，使劲抓着船舷。

就在这时，他看见一条可怕的大鱼甩动着尾巴从面前游过。这个大家伙的身体足有3米长。

鲁滨逊咽了口唾沫，正要问这是什么东西的时候，玛库纳伊玛先大声叫起来：

“巨骨舌鱼！”

“什么？你说这是什么？”

“巨骨舌鱼。这家伙是亚马逊最大的鱼，可以吞掉一条小船。

嘘，我们差点儿就遭殃了。”

虽然玛库纳伊玛这么说，可鲁滨逊还是怎么也不能相信，这么大的一条鱼竟然不是鲸鱼或者鲨鱼什么的，而是淡水鱼。不过，说不定那条鱼还会回来，所以现在最要紧的是检查一下独木舟上是否安全。因为如果稍有不慎，独木舟被掀翻，那就要跟那些怪物一般的鱼并排游泳了。

确定巨骨舌鱼已经游远了以后，玛库纳伊玛看了看仍然在发抖的鲁滨逊，暗暗决定要跟他开个玩笑。

该怎么耍一下这个胆小鬼呢……玛库纳伊玛的脸上浮现出一丝狡黠的微笑。

“我给你讲个可怕的故事好不好？”

“什么故事？”

“我们部落里有一位叫穆莱巴吉奥的大叔，就是因为被巨骨舌鱼掀翻了木排，结果掉进水里，被鱼吃了。”

“啊——”

“为了给爸爸报仇，他的儿子答拉巴吉奥用一根很大的鱼叉叉住了巨骨舌鱼。不过，就算被叉住，那个家伙的力气还是很大，鱼叉还在身上，就游到水里去了。”

“啊啊啊——”

“后来，他的孙子兹巴哥里奥还是抓住了那个家伙，把它拉了上来。到这时候，那把鱼叉还叉在它的肋下呢。不过，鱼叉末端有一些白骨……”

“啊呀呀——别说了！”

鲁滨逊用双手捂住了耳朵，大叫着。

玛库纳伊玛咯咯地笑起来，又说了几句。鲁滨逊只看见他的嘴一动一动的，跟咧着嘴的巨骨舌鱼简直太像了，就干脆连眼睛也闭上了。

鲁滨逊一睁开眼睛，就又害怕起来。眼前是一条比刚才的巨骨舌鱼还大的鱼。这个家伙正低着头，有一对像牛一样的鼻孔。

“呃啊啊——这又是什么鱼呀？”

“那不是鱼。它是一种吃奶的动物，叫作海牛。”

“吃奶的动物？那不就是哺乳动物吗？”

“是的。因为它的身体很大，所以我们叫它海牛。”

玛库纳伊玛说着说着，忽然停住了，一脸疑惑的表情。

海牛附近的水面上有一些淡淡的红色。看样子海牛是受了伤，血流了出来。

“如果流血就很危险了……”

“为什么？会因为贫血晕倒吗？”

“那倒不是……”玛库纳伊玛紧张地查看着四周的动静。

不到一分钟，一群鱼出现了，它们的身体是粉红色的，肚子则是蓝色的，看上去就像水族馆里的观赏鱼一样，颜色鲜艳，非常漂亮。不过，玛库纳伊玛好像并不乐意看到它们。

“你马上又会看到可怕的景象了。”

鲁滨逊理解这句话并不需要太长的时间。鱼群前方的水已经开始向四边溅去，很多泡沫浮了起来。

正伸长脖子向那边看的鲁滨逊突然像被火烫了一下似的，惨叫了一声。

“啊！”

这确实是一幅可怕的景象。翻腾着鱼群的河水里就像被倒进了一卡车红油漆一样，变成了一片深红色。在鱼群中间，刚才看到的海牛现在有一半已经变成了骨架，另一半也在继续被鱼群撕扯着。那些鱼的尖利牙齿在阳光下反射着寒光，就像锋利的刀片一样。

“呃呃，这……”

“这就是我刚才说的可怕景象。”

“这些怪物到底叫什么名字？”

“食人鱼。”

“什么？这就是食人鱼？”

鲁滨逊这才明白，原来这些就是恶名昭著的食人鱼。它们是亚马逊的黄泉使者，和鲨鱼一样，一闻到血腥味就会立刻扑过来，把对方变成一堆白骨。而现在，食人鱼正在他眼前享受着一场血的盛宴。

“哦，真是一群残忍的家伙。”

“在亚马逊，只要散发出血腥味，就一定会像这样收场。海牛太不走运了。”

他们正说着，那边的食人鱼已经终止了这场残忍的宴席。过了一会儿，河面上的海牛已经连肉星儿都没有了，只剩下一堆白骨漂在水上。

“太可怕了，长得那么漂亮，可竟然会这么凶残。”

“所以你也要小心，无论人还是动物，不能光因为长得漂亮，就以为是好的。”

“我不用担心。”

“为什么？”

“我女朋友末淑的长相离漂亮还差得远呢。”

“那脾气一定很好啰？”

“才不是呢，她的脾气一点都不好。”

一说起末淑，鲁滨逊不禁打了个寒噤。长得小巧玲珑的，可拳头怎么会那么有劲呢……不过，与脸长得漂亮、可脾气暴躁的人相比，还是脸蛋和脾气统一点好，至少不会有受骗的感觉。

“你觉得亚马逊的水中生物怎么样？”

“简直都把我搞糊涂了，什么怪物啊，海牛啊，还有食人鱼……亚马逊到底有多少鱼啊？”

“这个问题大概没有人知道。连创造亚马逊的神恐怕也说不清楚吧。”

“我想大概除了鲸，什么都有了。”

“什么？那你可就错了。”

“那你说还什么没有？”

“不是，我的意思是说……”玛库纳伊玛脸上露出了微笑，又接着说，“我是说连鲸也有。”

**你知道吗？**

巨骨舌鱼身长 4 ～ 5 米，体重达到 200 千克，它同时拥有鳃和肺，是亚马逊最大的鱼。它的肉味道鲜美，有“淡水大嘴”之称。有时候，为了获取氧气，它会浮出水面。亚马逊的渔夫们总是利用这个时候，用一种很大的鱼叉，捕捉巨骨舌鱼。抓住一条巨骨舌鱼，就够整个村子的印第安人饱餐一顿了。不过，由于水坝等各种开发工程，现在巨骨舌鱼的数量已经大大减少，想找到都很难了。

海牛身长 2.5 ～ 4 米，体重 200 ～ 600 千克，是一种生活在水中的哺乳动物。它的外形与鲸和海狗都有相似之处，不过从解剖学的角度来讲，它更像大象。它的肺很大，是整个身体长度的 1/3，所以它可以在水里潜伏 10 分钟以上，不过一般每隔 4 ～ 5 分钟，它会把鼻孔露出水面一次。它的消化器官有 20 米长，是一个要不停吃东西的贪吃鬼。亚马逊的美人鱼传说大多都是以海牛为原型的，这是因为雌海牛的身体结构和人类非常相似。

# 粉红色海豚的传说

黎明时分，像往常一样正在河边瞭望的鲁滨逊忽然发现河面上涌起一股像喷泉似的水柱。他揉了揉眼睛，伸长脖子正想仔细看看，这时，一条大鱼突然跃出水面，然后又扎回水里。当它的尾巴露出水面的一瞬间，鲁滨逊看到那里隐隐地泛着粉红色。

“这是什么呀？不是巨骨舌鱼，也不是海牛……”

鲁滨逊摇晃着脑袋想着，忽然，他一拍脑门，站住了。他现在才想到刚才看到的喷泉意味着什么。把背露出水面，会像喷泉一样吐水的动物，全世界只有一种。

“是海豚！”

鲁滨逊迅速地睁大眼睛，在河面上搜寻着。不过，这时海豚已经消失在水里了，他找了半天也没再看见什么。

“竟然真的有鲸类！我还以为是那家伙说谎呢……”

昨天晚上玛库纳伊玛说亚马逊连鲸都有的时候，鲁滨逊虽然没嘲笑他，但根本没相信。世界上怎么会有生活在淡水里的鲸呢？可是，现在鲸真的在他眼前出现了。

鲁滨逊马上摇醒了还在睡梦中的玛库纳伊玛，他要立刻把刚才看到的告诉玛库纳伊玛，可玛库纳伊玛却是一副不相信的样子。

“你在骗人吧？”

“是真的！是我亲眼看见的。”

“那好，那你看见鲸是什么颜色了吗？”

“当然了，你以为我是色盲吗？”

“那是什么颜色？”

“粉红色。”

一直半躺半卧的玛库纳伊玛一听，立刻站了起来，好像很吃惊似的。然后，他一脸严肃地摇了摇头。鲁滨逊忽然觉得很气愤，他气鼓鼓地看着玛库纳伊玛。

“你这是什么意思嘛？我就不能见到鲸吗？难道只有印第安人才能见到鲸吗？”

“是的。”

“什么？”

“你说得没错。”

鲁滨逊一下子不知该说什么了，他疑惑地闭上了嘴。他有点弄不明白了。于是，玛库纳伊玛略带着歉意，开始给鲁滨逊讲粉红色海豚的传说：

“粉红色海豚一直被印第安人看作守护神，是亚马逊的‘灵鱼’。在所有生活在亚马逊的动物中，它是最古老、最神奇的动物。在这里，从来没有人敢捕捉或者杀死海豚。”

“为什么呢？”

“根据传说，粉红色海豚每年都会变成一次人，来到印第安人的村庄，和最漂亮的姑娘相爱，生下孩子。所以，杀死海豚实际上就和杀死自己的祖先一样。”

“不过，这只是个传说而已呀。”

“不，印第安人都非常相信这个传说。在印第安的孤儿中，真的有人把海豚当作自己的爸爸。”

“是这样啊……”

鲁滨逊闭上了嘴，他觉得实在没有必要和深信海豚传说的玛库纳伊玛争辩。他又向玛库纳伊玛提出了自己刚才的疑问。

“可是，你为什么不相信我看见了海豚呢？”

“因为那只是传说呀。”

“什么传说？”

“亚马逊海豚绝对不会出现在不崇拜它的人眼前。它只是偶尔会在相信这个传说的印第安人面前现身。实际上，连我也从来没看见过。况且，你别说崇拜它了，你连亚马逊有这种动物都不知道。”

“可是，我真的看见了呀。”

“这太奇怪了，海豚为什么会在你面前出现呢？”玛库纳伊玛又使劲摇了摇头。

玛库纳伊玛一天也没有说一句话，好像一直在思考为什么海豚会出现在鲁滨逊面前。鲁滨逊为了不妨碍他思考，也不敢随便说话，就这么一直由他去。

“我想过了，海豚会出现在你面前……”

终于，玛库纳伊玛开口了。鲁滨逊虽然很想知道他到底会说什么，不过还是故意表现出一副泰然的样子，点了点头。这件事对自己虽然没什么，可对玛库纳伊玛来说却非常重要。

“我想，海豚大概已经接受你为亚马逊的一员了。”

“你说什么？”

这可太出乎鲁滨逊的意料了。鲁滨逊还以为，玛库纳伊玛对于自己发现了海豚这件事一定有些嫉妒，可现在玛库纳伊玛却说出了他完全没有预料到的话。

“我以前不是说过吗？你懂得热爱自然，海豚也知道了这一点。你热爱亚马逊，你为亚马逊遭到破坏感到心痛，我想，亚马逊的守护神海豚一定已经接纳你为亚马逊的一员了。”

鲁滨逊忽然觉得鼻子酸酸的。玛库纳伊玛思考了一天，得出了这样的结论，而这一天自己都在想些什么呢？嘲笑他相信那种荒唐的传说，还装出一副心胸宽广的样子……世上哪有自己这样的朋友呀。

“不不，我根本没有资格成为亚马逊的一员……”

“你说什么呀，亚马逊守护神一定不会看错，你现在已经是亚马逊的一员了。虽然我们的肤色和故乡不一样，可这些都不重要。我们都爱大自然，都敬仰它，这样我们就是一家人。因为……”

“因为什么？”

“我们的心是相通的，我们会同甘共苦。”

鲁滨逊没有说话，他紧紧地握住玛库纳伊玛的手，感觉到了玛库纳伊玛那粗糙有力的手掌传过来的暖意，不觉心里也暖融融的。

或许是明白了鲁滨逊的感动，玛库纳伊玛使出力气紧紧攥着鲁滨逊的手，小臂上的青筋都暴了出来。鲁滨逊疼得脸皱了起来，大叫了一声：

“哎呀！”

**你知道吗？**

印第安人有很多世代相传的对待环境的准则。比如，阿图阿拉部落在制造独木舟的时候，如果砍了树，就必须再种一棵一模一样的树。因为只有这样，才能让这里的生态环境保持平衡。在这一点上，他们的思考方式与那些砍树之后再种上一些10年就可以长成的外来树种、搅乱生态系统秩序的外来者有着根本的不同。而图卡诺部落则绝对禁止在水洼地上种植农作物，因为如果这样做的话，就会破坏雨季时的生态系统。任何时候，印第安人的农耕和狩猎都是在对丛林破坏最小的前提下进行的。很多环境学家都说，印第安人是“大自然最好的朋友”。

## 通过粉红色海豚学习地球的历史

粉红色海豚一直是许多民间传说中的主角，是亚马逊的一种灵鱼。它体长3米左右，为了呼吸，每两分钟要浮上水面一次。海豚看不见前面的东西，但它具有使用超声波来感觉事物和障碍物位置的本领。

这种海豚为什么会和它的同类分开，生活在淡水里呢？有关这个问题的答案，我们要到地球的历史中去找。粉红色海豚是在亚马逊生活最久的动物，它见证了在遥远的从前发生的事情。下面就让我们通过粉红色海豚来学习一下地球的历史。

⑴很久很久以前，地球上的陆地还没有像现在这样分成几块，而是相互连在一起。某一天，由于强烈的地壳运动，陆地被分割，这样就形成了七大洲。

⑵与非洲分离的南美洲的东边是大西洋，西边是太平洋。在南美洲形成的时候，大西洋的水流成了一个巨大的海湾，这股水穿过南美大陆，流向太平洋。生活在大海里的海豚们（粉红色海豚的祖先）可以自由幸福地在大西洋和太平洋之间往来。

⑶不过有一天，地壳再次发生了运动，南美大陆上通向大西洋的入口被完全封闭了，而通向太平洋的出口处也耸立起了

安第斯山脉。这样，南美洲上就出现了一片四周都被围住的内陆海，而海豚就被囚禁在这个来去无路的地方。

⑷后来，从山上流下的水汇入内陆海中，残流开始逐渐流向东边。因为，在安第斯山耸起的同时，大陆东边的海拔变低了，因此就形成了一条从安第斯山到大西洋的长长的水流，这就是亚马逊河的起源。

⑸受到淡水冲击的海豚慢慢适应了这种环境，最后在没有咸水的地方也完全能够生存了。

以上就是亚马逊粉红色海豚的历史。

与一般的海豚相比，粉红色海豚脖子上的椎骨更加柔软，因为它们生活在弯弯曲曲、障碍物众多的河里，自然而然就具备了这种能力。不知道它们还会不会思念原来的生活环境，但是仔细想想，其实也没什么损失，正是因为移居到了淡水里，它们才受到印第安人如此的敬仰和崇拜。

Stage 4
与丛林恶棍的
再度较量
一边是千疮百孔的丛林，
一边是只顾牟利的丛林恶棍，
为了挽救丛林，
鲁滨逊必须运用智慧，战斗到底……

# 亚马逊少女莫基拉耐

“你说的是真的吗？”

“嗯，我看得清清楚楚，是两只长着像狮子一样金黄色鬃毛的猴子……”

玛库纳伊玛腾的一下跳了起来，跑到鲁滨逊平时撒尿的树底下。不过，他很快就一脸失望地回来了。

“你怎么了？那到底是什么猴子呀？”

“金狮面狨。没错，就是它们。只有亚马逊才有的世界上最漂亮的猴子。”

“不过，它们真那么重要吗？”

“它们现在几乎要灭绝了。那些入侵者们在疯狂地到处找它们，然后把它们作为观赏动物卖掉。”

这时候，好像从哪儿传来了咚咚的鼓声。似乎是以前曾听到过的博拉库塔克树的声音。鲁滨逊的脸忽然变得一片惨白。

“是塔白拉族。”玛库纳伊玛仍然紧张地环顾着四周。从声音的大小判断，好像就是从不远的地方发出的信号。

“我们快点跑吧，要是再被抓住，可就真没命了。”

“不行。”玛库纳伊玛斩钉截铁地说，“我们要救那些金狮面狨。”

啪嘶——

正在丛林中寻找猴子的玛库纳伊玛忽然听到一些微弱的动静，好像有人正踩着树叶向这边走过来。鲁滨逊下意识地立刻趴在地上，眼睛不安地转动着。

过了一会儿，一个少女从树后探出头来。她头发卷曲，身材矮矮的，胖胖的，脸上长满了小雀斑。

“呃呃！”鲁滨逊像突然被掐住脖子似的叫了起来，悄悄地向后退着。那个少女的脸和末淑太像了，简直就是末淑的翻版。这时，少女点头向他打了个招呼，然后说话了，声音脆生生的。

“你们好。”

呃呃，连嗓音都一模一样。鲁滨逊还在思索着。玛库纳伊玛则替他跟少女说：“你好，你是谁？”

“我是莫基拉耐，我来找我阿爸，可是迷路了。”

“这样啊，那你阿爸去哪儿了？”

“他就在这附近打猎，我阿爸可是很有名的猎人。”

“是吗？那他叫什么名字？”

“他叫莫基拉尤，是塔白拉族的首领。”

“啊——”鲁滨逊和玛库纳伊玛的脸同时变了颜色。玛库纳伊玛脸色铁青，而鲁滨逊的脸则完全成了猪肝色。真是冤家路窄，竟然会在这里遇见莫基拉尤的女儿。

“你们是谁呀？叫什么名字？你们在这儿干什么？”莫基拉耐一脸天真，连珠炮似的问。

鲁滨逊慌乱地回答：“我是鲁滨逊，他是玛库纳伊玛。我们要解开神谕的秘密，我们要去马瑙斯……”

“神谕？那是什么呀？”

这时，玛库纳伊玛使劲拉了一下鲁滨逊的胳膊，急忙接过话来说：“不是神谕，是吃鱼。这家伙有点大舌头。”

“那他说要去什么马瑙斯？”

“这个，这个……我们听说马瑙斯有好多的鱼……那个……”

“我问问我阿爸就知道了，他抓鱼抓得可多了。”

“啊，不不，不用了，我们自己去就行了。”

“那好吧，我要去找阿爸了。”莫基拉耐突然又瞟了鲁滨逊一眼，温柔地说，“滨逊哥哥长得真帅，就像王子一样。我们一定会再见面的，对吗？”

“啊？哦……是啊。”

莫基拉耐愉快地向他们挥挥手，然后就蹦蹦跳跳地消失在丛林里了。过了一会儿，等到完全看不见她的影子了，鲁滨逊这才舒了口气，然后自言自语地说：“难道我疯了不成？还要见你呀?！有一个末淑，我的人生已经够不幸的了。”

“现在可不是想这些的时候。在莫基拉耐跟莫基拉尤说起我们之前，咱们得赶快找到金狮面狨。”

玛库纳伊玛又开始焦急地在丛林中搜索起来。

# 再次遭遇塔白拉族

发现金狮面狨已经是太阳落山的时候了。它们正并排坐在一根大树枝上，欣赏丛林里夕阳西下的景色。看样子，塔白拉族的那帮坏蛋还没有发现它们，真是幸运。

玛库纳伊玛打算悄悄地爬上树，接近它们。

可是，那些猴子不时地从这棵树跳到另一棵树，根本就抓不住。鲁滨逊也一筹莫展，急得他像电影里的金刚一样，直用拳头捶自己的胸口。

“猴子们，拜托就让我们把你们抓住吧，我们俩可是来救你们的呀。”

这时候，树上的玛库纳伊玛忽然抖了一下，然后把身子蜷了起来。原来他看见塔白拉族的那些人正向这边走过来。他们好像也已经发现了金狮面狨的踪迹。不过还好这帮坏蛋离猴子们比较远，还没有发现猴子。

“小子们，都给我安静点。要是把它们吓跑了，天一黑，我们可就找不着它们了。”

鲁滨逊也听见了莫基拉尤那阴险的声音，吓得立刻躲到了一棵大树后面。脚步声越来越近了，他们正好就在鲁滨逊藏身的树前停住了脚步。鲁滨逊连大气也不敢喘一下，他抱着头，开始发起抖来，脑海里已经浮现出自己被烧熟后的样子了。

“开枪吗，老大？”

“笨蛋，这些可是真子弹！你想把这些珍贵的猴子打死吗？”

“那不用枪？”

“用麻醉枪，先把它们麻醉了，不就可以全部活捉了吗？”

“知道了，老大。”

莫基拉尤的两名手下各自瞄准了一只猴子。而猴子们对这一切却还没有一点察觉，正快活地相互抓着毛。眼看亚马逊的宝贝猴子就要落入坏人的魔掌了。

躲在树后的鲁滨逊听到坏人的这番对话，好像忽然下了什么决心似的，一脸悲壮。这时，玛库纳伊玛还藏在树上，他紧紧攥着拳头，屏住呼吸。虽然他们俩不能说话，也没法互相发信号，但是此刻两个人心里都在想着同一件事。

砰砰——

两声枪响震撼了整个丛林。而与此同时，树后面的鲁滨逊和树上的玛库纳伊玛像闪电一样，一起跳了出来。

哐当——呃哦——咚！

紧接着就是有人摔倒的声音、痛苦的呻吟声，以及什么东西掉下来的声音。一群受惊的小鸟扑棱棱地飞向了天空。

“怎么回事？这是怎么了？”

“不知道呀，老大。”

“咳咳！真该死……”

莫基拉尤吐了几口唾沫，大声咒骂着。他没有弄明白刚才到底发生了什么事情。他只知道，肯定有人在给他们捣乱。

两颗子弹中，有一颗被从树后跳出来的鲁滨逊抓住枪柄而打飞了，还有一颗则打在了飞身护住猴子的玛库纳伊玛的肩膀上。一片混乱中，猴子们早就飞快地离开树枝，跑到丛林深处去了。最后那个咚的声音，是中了麻醉枪的玛库纳伊玛从树上掉下来时发出的响声。

“你们这些笨蛋，又让那群猴子跑掉了……”

莫基拉尤把拳头攥得咯咯直响，大步朝鲁滨逊走过来。他粗暴地抓起鲁滨逊头上本来就不多的几根稀疏的头发，往上一提。一看鲁滨逊的脸，他立刻发出一声怪叫，愣在了原地，然后又立刻瞪起眼睛来，像头发怒的狮子似的大喊着：

“又是你这个小子?！”

你知道吗?

与其他灵长类动物相比，金狮面狨的生活充满了神秘色彩。首先就是一夫一妻制，别的猴子脑袋里完全没有什么“妻子”“丈夫”的概念，而金狮面狨则不同，一生只和一个异性在一起。第二是神秘的生育，雌猴一年会生育两次，令人惊奇的是，据最近的研究发现，它们每次生下的都是双胞胎。这对于关心金狮面狨生存和繁衍的人来说，是个令人欣喜的好消息。

# 智力大考验第二回合

火堆熊熊地燃烧着，下面的柴火经火一烧，发出了咔咔的响声。鲁滨逊鼻涕眼泪流了一脸，又在不停地讨饶，可莫基拉尤却根本不理他。玛库纳伊玛的麻醉还没有完全过去，此时正睡眼蒙眬地横卧在地上。

“塔白拉族向来是一诺千金，所以这回必须按照咱们上次的约定，把你们这两个小子烧死。嘎嘎嘎嘎——”

莫基拉尤的笑声听上去比上次还要恐怖。看来这次无论如何也跑不掉了，不知道幸运女神会不会再帮他们一次。

正在这时，一个脸色惨白、长得与幸运女神差了十万八千里的少女犹豫着走了过来。不是别人，正是那个莫基拉耐，她那双小小的眼睛里还含着泪花。

“阿爸。”

“你怎么了，莫基拉耐？”莫基拉尤用一种很慈祥的声音叫着自己的女儿。难怪都说虎毒不食子，看来连这些坏蛋也不例外。

“我想求您一件事，您能不能放了滨逊哥哥？”

“你说什么？不行！这个小子是天下第一的大坏蛋。”

“不是的，他不是坏人。刚才我在树林里迷路了，差点让毒蛇咬到，多亏了滨逊哥哥救我。”

莫基拉尤不相信似的轮番看着女儿和鲁滨逊，看他的神情好像是在想，鲁滨逊这样的坏蛋怎么会做这种好事呢。莫基拉耐一直用哀求的眼神看着父亲。莫基拉尤盯住鲁滨逊，气鼓鼓地问：

“是真的吗？”

这下鲁滨逊可犯了愁。

如果回答说是真的，那不就成骗子了？可要说不是真的，又会有生命危险……不过，看样子这个家伙一点都不相信我，如果我回答是假的，说不定他也以为我在说谎，而相信莫基拉耐说的是真的……唉，这种时候到底该怎么回答呢，还真是伤脑筋！

莫基拉耐看父亲好像不太相信自己的话，就使出了最后的撒手锏，呜呜地哭起来，眼泪大有超过亚马逊河的气势。

“呜呜，太过分了。难道那些破猴子比自己女儿的性命还重要？那你把我当猴子一起卖掉好了，呜呜呜——”莫基拉耐这一哭，可让莫基拉尤乱了阵脚，最后，他长长地叹了口气，无可奈何地点点头说：“好吧，就听你这一回，不过我有个条件。”

“什么条件？”

“他必须答出我出的题才行。好啦，赶快擦擦眼泪，别哭了。我可以宽限他到明天早上。”

于是，鲁滨逊和莫基拉尤的智力大考验就这样拉开了第二回合的序幕。

“臭小子，不管怎么样，我也一定要把你烧死。”

深夜，鲁滨逊抱着头，盯着鸟蛋看。可是，他再怎么冥思苦想，也还是找不到解决的线索。时间一点点地过去，不知不觉东方已经微微泛白了。莫基拉尤这次的题目又是关于鸟蛋的，他的要求是把煮熟的剥去壳的鸟蛋放进一个葫芦瓶里，还不能有任何损坏。

葫芦瓶的下部虽然很宽，但是瓶颈却要比鸟蛋小很多。鸟蛋进到 1/3 左右时，就再也下不去了。如果使劲压下去的话，柔软的蛋清就会被碾破。

“笨蛋！蠢猪！臭虫！”鲁滨逊不停地骂着。躺在他旁边的玛库纳伊玛费劲地翻过身，抬头望着鲁滨逊。看着他愣愣的眼神，鲁滨逊忽然想起玛库纳伊玛从水蟒嘴里救下自己的事。

“水蟒可以吞下比自己的嘴大很多的动物……那么为什么葫芦瓶连一个鸟蛋都吃不下去呢？”

想到这里，鲁滨逊的眼睛忽然一亮。他一露出这种眼神，就说明他又有主意了。鲁滨逊忽然大笑起来，嘴角又一次咧到了耳根。

“哈哈哈哈——我知道了，我知道怎么办了。”

鲁滨逊笑得口水都流了出来。他扯了一把干草，揉成一团，然后开始向四周打量。地上到处都是那些坏人乱扔的酒瓶。

鲁滨逊从中挑了一个味道最刺鼻的酒瓶，把里面剩下的酒倒在手里那团干草上，然后把草点着后放进了葫芦瓶里。沾了酒精的草团蹿出了蓝色的火苗，开始燃烧起来。

“就算葫芦瓶不能吞下鸟蛋，我也要把它变得能吞下去。鲁滨逊，你简直太聪明了！”

玛库纳伊玛一脸迷惑地看着鲁滨逊，搞不清楚他到底在干什么。一个人在那儿不停地自言自语，怎么看都很奇怪。难道是被打傻了？

过了一会儿，草团上的火苗逐渐弱了下去，最后终于熄灭了。

这时，鲁滨逊飞快地拿起那个鸟蛋，放到葫芦瓶的瓶口上。然后他坐在地上，双手合十，开始念起了咒语。

“万能的主啊，万能的主……”

玛库纳伊玛满脸迷惑地望着鲁滨逊。这家伙到底在干什么？

好像在学巴节爷爷的样子……不过，鲁滨逊根本没时间给他解释，他继续叽里咕噜地念着咒语：“阿弥陀佛阿弥陀佛……嗨！天灵灵地灵灵……嗨！”

“哇啊！”玛库纳伊玛简直不敢相信自己的眼睛。瓶子上的鸟蛋好像活了一样，慢慢地掉到了瓶底。就好像末淑往自己的胖腿上套一条瘦小的牛仔裤一样，鼓鼓的鸟蛋竟然一点点滑下了窄小的瓶颈。无人岛的科学少年鲁滨逊在亚马逊又一次验证了科学的伟大。

莫基拉尤看到静静躺在葫芦瓶里的鸟蛋时，惊得目瞪口呆。他很后悔没有出一个更难的题。不过，现在他必须说话算数，尤其又是在自己的女儿面前，所以没办法，他只好答应放掉鲁滨逊和玛库纳伊玛。

莫基拉耐流着眼泪给鲁滨逊送行，还依依不舍地目送着鲁滨逊离开。

告别了莫基拉耐，鲁滨逊他们又上路了。鲁滨逊忽然觉得后背针扎似的痛，大概是莫基拉耐一直在后面盯着他看的缘故。唉，长得帅难道也是一种错吗……走出了很久，估计莫基拉耐已经听不见了，鲁滨逊才压低了声音对玛库纳伊玛说：

“真是奇怪。”

“怎么了？”

“怎么长成这样的女孩都喜欢我呢？”

## 鲁滨逊的秘密武器之二：气压

简单地说，气压就是空气的压力。由于地球对空气有引力，所以就产生了气压。气压也可以看成是空气的重量。

最早研究气压的人是法国科学家帕斯卡。1642 年，他发明了气压计。他发现，越高的地方空气就越稀薄，气压就越低。为了纪念他对科学的重大贡献，后来人们便以帕斯卡（Pa）作为气压的单位。地球表面的气压大约是 10 万帕斯卡，通常我们把它叫作“1 个大气压”。

10 万帕斯卡在一平方米上产生的压力相当于两头大象的重量，非常巨大。但是我们并没有因此受到影响，而是正常地生活着，这是因为人身体里也具有与大气一样的压力。外界的压力和身体里的压力保持平衡，所以我们完全感觉不到气压的压迫。放热气球的时候，就是因为气球内外的气压保持平衡，而气球内气体的密度较小，所以气球才可以升起来。

爬山时或者乘车到较高的地方时，由于身体内外的压力不相等，对耳膜产生一定影响，会让耳朵有压迫感。气球升上天空以后，过段时间就会爆炸，这也是因为气球里的压力比外面大的缘故。

为了保持与地面一样的气压，飞机里一般都有调节气压的设备。如果没有这种设备，乘客们就会一点点鼓起来，当压力差达到一定程度时，就会像气球一样爆炸。

## 鲁滨逊魔术的秘密

鲁滨逊到底是怎么把鸟蛋塞到葫芦瓶里的呢？其实非常简单。如果在瓶里点燃一团干草或者棉花，瓶里的氧气就会减少，所以，气压也会跟着降低。这时候，如果把鸟蛋放在瓶口，因为瓶子外面的气压比瓶子里面大，所以鸟蛋就会掉落到瓶底。那为什么要在草上洒酒呢？因为酒精的燃烧时间比一般可燃物的燃烧时间长一些。

在这里还有一种方法，就是在葫芦瓶里放水，加热以后把鸟蛋放到瓶口。这时，如果用凉水把瓶子冷却，瓶里的水蒸气就会液化，使得瓶里接近真空状态，这样也可以降低气压。这样做的结果当然也会和前面那种方法一样。

# 被熏黑的死亡丛林

不知不觉，独木舟的旅行已经快到尽头了。一进入紧连着亚马逊河主流的索利蒙伊斯河，河面逐渐变得开阔起来。现在，离马瑙斯已经没剩下多少路程了。

把船停泊在北岸以后，鲁滨逊忽然发现一件奇怪的事，与其他地方比起来，这里的丛林看上去非常荒芜。别的地方的丛林茂密得连阳光都透不进来，这里却十分稀疏，到处都是折断的树木，有的地方甚至露出了光秃秃的地皮。

"太奇怪了，这里为什么是这个样子呀？难道要在丛林里修个体育场吗？"

"是啊，这里以前可不是这样的。"

两个人来到岸边，在这里看到的一切让他们更感震惊。几百年的大树只剩下了树根，还被火烧得漆黑。地上残留的树枝也像秸秆一样，轻轻一踩就碎成了粉末。

"这……这儿到底经历了一场多大的火灾呀？"

玛库纳伊玛痛惜地抚摸着已经死去的树，像丢了魂一样无力地瘫坐在地上。

沉浸在悲伤中的玛库纳伊玛到第二天早上都一语不发，直到他们在河边遇到一个印第安人老人以后，他才开口说话。他像等待了很久似的，连珠炮地问：

“是谁在丛林里放的火？到底是谁干的？”

那个印第安老人眨了眨眼睛，盯着玛库纳伊玛看了半天，良久，才重重地叹了口气。他似乎很了解玛库纳伊玛此刻的心情。玛库纳伊玛的眼珠和老人的手都不约而同地颤抖着。

“孩子，冷静点。没有人放火，亚马逊的山火都是神的惩罚。”

“神？你到底是什么意思？”

老人咳了几声，又继续费力地说：

“我叫玛玛普耐，本来住在秘鲁。我一直在海上捕鱼，后来我的家人都死了，为了忘掉痛苦，四年前我来到了这里。我本想在这里种种地，了此残生。”

“……”

“可是那一年，亚马逊遭受了严重的干旱。丛林干枯，人们不断地死去。整个9月只下过一天雨，你一定能想象那种干旱是什么样子。”

“是的……我记得。”

“农夫们没有办法，可地总还是要种的呀。你也知道，9月末正是播种的季节。所以，像往常一样，他们在草原上点起了火。因为亚马逊的土壤不够肥沃，所以要想耕种，只有把它变成火田。”

听到这里，鲁滨逊再也忍不住了，他气得站了起来。这不就是说农夫们自己放火烧了丛林吗，还说是什么神的惩罚……但是，玛玛普耐并没理会鲁滨逊，他继续不紧不慢地往下说：

“不过，并不是农夫们烧了这些树。一年之中，亚马逊几乎每天都要刮大风，所以既然点了火，就一定会蔓延得很远。但是，这里的农夫几百年以来都是用这种方式耕种的，亚马逊并没有因此毁灭，林木反而更加茂盛。就好像印第安人每天都去打猎，但是并没有破坏丛林的秩序一样。为了生存，开垦小规模的火田或者打猎，这都是神对人类的关怀和照顾。”

“那……是因为干旱？”

“是的，问题就出在干旱上。雨水让亚马逊每天都是湿淋淋的，可是，突然没有了雨水，火势也就很难控制了。结果，大面积的丛林都被烧毁了。大火从 9 月开始烧起来，一直烧了 6 个月，到第二年 3 月才灭，后果可想而知。黑烟就像乌云一样笼罩了天空……”

“你说什么？”

鲁滨逊忽然打断了玛玛普耐的话，黑烟像云一样笼罩着天空？这话怎么好像在哪里听到过似的……鲁滨逊眨巴着眼睛，使劲想着，这时，玛库纳伊玛忽然像发现了什么一样睁大眼睛。他们俩不约而同地叫起来：

“神谕！”

“是神谕！”

## 终于解开神谕的秘密

鲁滨逊和玛库纳伊玛两个人拉着手，像刚被释放的犯人一样高兴地跳起来。在明白“妈妈的病”指的是什么以后，一直困扰他们的神谕剩下的含义终于露出端倪了。鲁滨逊忘了旁边还站着人，急忙拿出写有神谕的纸卷。

妈妈的肺生病，体温上升……血管干枯，皮肤开裂……黑云升起笼罩着天空……天空被撕裂，灾难即将降临……男孩和女孩轮番出现，发出警告……

“就是这儿，黑云。这指的一定就是山火的烟。刚才老爷爷不是说过吗，黑烟像云一样笼罩着天空。”

“不过这是什么意思呢？血管干枯，皮肤开裂？”

“笨蛋！这当然是说干旱。如果天气干旱的话，河流就会干涸，土地不就露出来了吗？如果地球是妈妈，那江河就是她的血液，土地就是她的皮肤呀。”

“没错没错。”

“哈哈，我们想了那么久都没想明白的问题，现在一下子都清楚了。”

鲁滨逊和玛库纳伊玛暂时忘记了丛林里的火灾，一起快乐地大笑起来。五句神谕一下子解开了两句，如果再加上妈妈的肺，就是两句半，现在已经成功了一半。

“不过还是有点奇怪。”

“怎么了？”

“地球上又不是只有这里有丛林，即使亚马逊是地球之肺，仅仅因为一场山火，烟就覆盖整个天空，也有点太夸张了吧？”

“也是，听你这么一说，好像还真是这么回事。”

两个人脸上立刻没了笑容，刚刚轻松的心情现在又乌云密布了，他们又拿出那卷纸看起来。

这时，一直站在旁边的玛玛普耐小心地开口了：“我不知道你们在说什么，不过，并不是只有亚马逊发生了山火。”

“哦？真的吗？”鲁滨逊和玛库纳伊玛好像遇到救星一般，一起瞪大眼睛盯着玛玛普耐。

玛玛普耐的声音依然低沉而有条不紊：“在海那边的印度尼西亚，也有一片和亚马逊不相上下的丛林。我曾经坐船经过那里，所以知道。我听说，在亚马逊着火的时候，那里也发生了一场规模很大的山火。

“啊！”

“那么……”

两人的脸色马上又由阴转晴了。如果有与亚马逊差不多的丛林也发生了大火，那么神谕的内容就绝对不是夸张了。老人闭上了眼睛，好像回忆着在海上漂流的青年时代。过了一会儿，他又说：

“你们知道我为什么说山火是神的惩罚吗？”

“为什么呢？”

“你们听着，在我离开秘鲁之前，那里的海上就经常发生一些奇怪的事情。本来很凉爽的前海的海水经常忽然变热，还下起大暴雨。因为这个原因，很多人都死了。”

“什么?！”

“不过，问题在于在海那边也发生了一模一样的事情。暑热、暴雨，还有干旱……好像全世界的气候一下子都变化无常起来。人们把这种现象叫作‘厄尔尼诺’。”

“厄尔尼诺？”

“发音很少见。”

“事情到这里还没有结束。又过了一阵子，这一次，海水开始变得比以前更凉了。于是，到处都面临着严重的干旱和寒冷。人们把这种现象称为‘拉尼娜’。”

“这是哪里的语言呀，这么难？厄尔尼娜拉尼诺？”

“笨蛋！说倒了。”

“嗯，是吗？”

鲁滨逊咂了咂嘴，又挠了挠头，看到他那副可笑的样子，玛玛普耐的脸上也头一次露出了笑容。

“之所以会经常发生这种事情，其实都是人类自己造成的。

人类肆意践踏破坏自然，最后，连神也发怒了。”

“唉，其实……”

“难道天气也跟这个有关系吗？”

“我说过，我以前是个渔夫，连南极的冰雪世界都乘船去过。那儿是一片由无数巨大的冰山组成的大陆，不过，最近连那里的冰块都在一点一点地融化。”

“为什么？”

“我听说，是因为全球的气候都在变暖，人类排放出各种废气，烧起有毒的烟雾……”

“等等！你刚才说什么？”

鲁滨逊又大叫起来，打断了玛玛普耐的话。啪啪啪——他脑子里一时间像有电流经过似的。他想起神谕的第一句：妈妈的肺生病，体温上升。

地球的体温大概指的就是气温。妈妈的体温升高，应该就是说地球的气温在上升。全球的空气都在变暖，连南极的冰都开始融化了，这不就是一个很明显的证据吗。

线索一个个出现，鲁滨逊激动得心都要跳出嗓子眼儿了。现在只剩下两句了。他打起精神，催着玛玛普耐继续往下说。

“现在连天上也出了问题，会对生物产生很大危害的光线没有任何阻挡，直接照射到地面上。”

“为什么？”

“空气变得浑浊，大气层出现了很多洞。听说南极上方的洞比大陆还大，别的地方……”

“等一等。”

这次打断他的是玛库纳伊玛。大气层出现洞！神谕里写的“天空被撕裂”，指的一定就是这些洞。那么灾难又是什么呢？“天空被撕裂，灾难即将降临”到底是什么意思呢？鲁滨逊咽了一口唾沫，越来越紧张。

“这个洞越大，世界就会越热，大地也会越贫瘠。到最后，贫瘠的土地会变成沙地，树木也都会干死，人也会被渴死或者饿死。以后，为了争夺粮食，人们会展开血腥的战争，不过，即使在战争中取胜了，活下去的时间也不会太长。因为被毁灭的土地是不可能再恢复的。对于那些反抗神的意志、破坏自然的人们，最后神就会这样惩罚他们。”

“这个……”

灾难比想象的还要可怕。如果真这样的话，到那时候，世界上就会什么都没有了。鲁滨逊终于知道为什么玛玛普耐说亚马逊的山火是神的惩罚了。干旱、暴雨、寒冷，还有那即将到来的可怕的灾难……此刻，他的心里充满了无以言表的恐惧和悲伤。

“现在我要走了。希望你们能把我刚才说的话告诉更多的人。看着那些人还不知道神的愤怒，还在胡作非为，我实在很痛心啊。”

玛玛普耐深深地叹了口气，站了起来，然后独自默默地沿着河岸走了。鲁滨逊和玛库纳伊玛心情都很沉重，他们望着玛玛普耐的背影，一言不发。

这时，鲁滨逊脑子里忽然闪过一个念头。他的直觉告诉了他神谕中最后一句的含义。为了验证自己的想法是否正确，他飞快地向玛玛普耐追去。

“老爷爷，等一下。”

玛玛普耐停下了脚步。鲁滨逊跑到他面前，喘了半天的气，然后问：

“刚才你说的那些曲里拐弯的话……”

“曲里拐弯的话？你是说厄尔尼诺和拉尼娜吗？”

“是的，就是这个。厄尔尼诺是什么意思？”

“厄尔尼诺在西班牙语里的意思是小男孩，怎么了？”

咚——鲁滨逊的心里一震。原来如此……现在，他已经很肯定自己的想法了。

“那么拉尼娜一定就是女孩啰？”

“是啊，你很聪明。”

“那这两个是谁先出现的呢？”

“这个我也说不好，因为顺序经常改变，总是轮番出现。”

啊，没错了。厄尔尼诺和拉尼娜就是神向人类发出的严重警告。只是人类还没有意识到……

鲁滨逊慢慢地打开纸卷，低声把神谕从头到尾读了一遍。然后他严肃地，如同自己是神的发言人一样，一字一句地说道：

“男孩和女孩轮番出现，发出警告……”

现在，神谕的秘密已经快要解开了，只剩下一个，就是生命洞穴，而洞穴的钥匙应该就在桃花心神木上。

**你知道吗？**

玛玛普耐所说的“天上的洞”，指的是臭氧层上的洞。地球的大气圈分为距离地面约15千米的对流层，从对流层顶到距离地面50～55千米的平流层，距离地面85千米的中间层，以及距离地面800千米的热成层。在平流层中，距离地球表面22～27千米的大气层就是臭氧层。臭氧层的作用是预先对紫外线进行吸收，以阻止破坏生物细胞的紫外线穿过对流层。臭氧层的破坏会直接导致紫外线的增加，紧接着就会引起沙漠化、粮食缺乏、饮用水不足等一系列重大灾难。

# 神出示的黄牌——厄尔尼诺和拉尼娜

## 什么是厄尔尼诺?

厄尔尼诺（El Nino）源自西班牙语，意思是“小男孩”或者“少年耶稣”。它指的是以秘鲁为中心的赤道附近东太平洋的海水温度升高，周围的空气层变热的现象。它一般会在9月到次年3月间出现，大约持续一年左右才消失，最严重时往往在12月。

正常情况下，东太平洋的水温比西太平洋低，因为季风是从东向西吹的，大海表面的热水会涌向西边，而深海里的冷水就会补充上来，这被称为“涌升现象”。

但是有时候，因为某些原因，季风会突然变弱。这样，涌升现象也会减弱，这时，秘鲁附近的水温就会比平时高2℃～3℃左右。经常涌进来的热水没有进来，太平洋中西部的天气就会变化，亚洲、欧洲、非洲的气候也会因此出现紊乱。像这样，所有地区的气温、水温、湿度、风向、大气状态等出现混乱，在整个地球引起气候异常，就是厄尔尼诺到来时的特征。

## 黄牌的威力

1997年发生在巴西的干旱让亚马逊连续6个月都笼罩在

山火的烟雾中，足有3万平方千米的丛林变成了灰烬。在秘鲁和智利，1000多人在大暴雨中死去。而在美国，由于超过40℃的高温，130多人丧生。

在西太平洋的印度尼西亚，由于干旱，山火把3万平方千米的热带雨林烧得一团漆黑。

而在中国，厄尔尼诺现象导致了暴雪和严寒的发生。在印度，气温达到了50℃，有160多人死于酷热。在欧洲的巴尔干半岛，水银柱50年来第一次上升到40℃。经历了历史上最严重的洪水的赞比亚、因为传染病死亡100多人的坦桑尼亚，还有因为气候异常失去一半收成的乌干达……如果一一列举厄尔尼诺的危害，恐怕写满整本书都不够。

## 再次的警告——拉尼娜

紧接着厄尔尼诺到来的拉尼娜与它的兄弟正相反。它所产生的现象是，吹向西边的季风比平时强，秘鲁附近的涌升现象加强，由此，东太平洋的水温异常地降低。

但是，拉尼娜在引发干旱或者洪水、酷热等方面，比它的兄弟有过之而无不及。夺去15000人生命的印度龙卷风，3万多人丧命的中南美飓风等，这些于1999年出现各地的灾难都与拉尼娜有着密不可分的关系。在韩国，学者们认为，最近几年间发生的干旱或者短时强降水等，也是受到厄尔尼诺和拉尼娜的直接影响。

全球变暖后会怎么样?

地球现在患上了严重的热病。观测显示，最近100年间，地球的平均温度大约升高了0.6℃，而在过去的2万年间，地球的温度才升高了4℃而已。

地球气温升高的最大原因就是公害。以前，地球具有一套白天吸收太阳热量，晚上再把热量散发的均衡的循环系统。但是，由于各种公害，大气层中积聚了很多杂质，地球散发的热量都被这些物质吸收了。由于这些热量散发不出去，地球变得越来越暖和，就像温室一样。起到保温作用的那些有害物质就叫“温室气体”。

温室气体中最具代表性的就是石油或者煤炭等化学燃料燃烧时放出的二氧化碳，约74.4%的地球温室效应都是由二氧化碳引起的。此外，主要的温室气体还包括氟利昂（17%），甲烷（17.3%），和氮氧化物（16.2%）。

地球变暖引发的最大灾难就是南极冰川融化，海水水位上升。已经有两个面积有北爱尔兰那么大的冰块从南极大陆分离出来（如果合起来，相当于韩国面积的1/4），而剩下的冰块上也有很多地方出现了裂缝。1950年以后，南极的气温足足升高了2℃。南极大陆的面积是1420万平方千米，比欧洲和大洋洲都要大，如果如此巨大的冰块融化的话，后果简直无法想象。

据预测，如果按照目前的趋势继续排放温室气体，那么到2030年，全球气温会升高1℃以上，到2100年，气温就会升高5℃以上。如果真是这样，那么到了2030年，海平面将升高大约20厘米，而到2100年将足足升高1米。到时候，荷兰就会完全沉没在水中，太平洋上无数的岛屿会被淹没，而距离这种景象的产生，只有不足100年的时间了。

## 透过天空的缝隙降临的灾难

1998年，围绕在地球周围的人造卫星传送回了一些令人震惊的照片，在南极上空有一个相当于加拿大国土面积那么大的可怕黑洞。虽然以前也曾经发现过臭氧层被破坏的情况，但确认有这么大的黑洞，还是第一次。

臭氧层距离地球表面22～27千米，它的作用是吸收对生物有害的紫外线，不让其照射到地面上。如果臭氧层被破坏，紫外线直接照射到地面上，就会引起许多十分严重的问题。最有代表性的就是由于植被的减少而出现的“沙漠化”现象，因为大部分植物都抵抗不了过强的紫外线照射。

目前，沙漠化已经成为地球的一个严重问题。由于无序的森林砍伐，每年都有6万平方千米的土地变成了沙漠。如果照这种趋势持续下去,200年以后,世界上大部分的耕地都会消失。毫无疑问，臭氧层的破坏加速了这种现象的恶化。如果真是这样，那么真的会像玛玛普耐说的，人类将遭遇粮食危机。

破坏臭氧层的主犯就是氟利昂——电冰箱或者空调中的制冷剂的主要成分，氟利昂中的一个氯原子就可以破坏10万个臭氧分子。而且，它在300年里都不会被分解，会长时间留在臭氧层内部。对于臭氧层来说，这是可怕的破坏，而对于地球生物来说，则是不可饶恕的敌人。

把这些毒气散发到天空的正是人类自己。我们只顾着眼前的舒适，完全不考虑日后的问题。不过，值得高兴的是，目前国际上已经制定出一个协定——《蒙特利尔议定书》，规定发达国家从2000年开始，不发达国家从2010年开始，都必须停止使用氟利昂。现在确实已经到了需要长远考虑后代生存问题的时候了。

## 黄牌是无视绿色的代价

最近几年地球上发生的所有气候异常现象，归根到底都可以称之为"地球温室效应"。而今后将发生的所有气象灾难最终也都是因为地球变暖引发的。下面，我们来了解一下，破坏以亚马逊为首的热带雨林会带来多么严重的后果。

首先，热带雨林能够吸收温室气体的主要成分二氧化碳，是地球最大的氧气储存库。1平方千米的丛林每年吸收的二氧化碳大约是1000吨。那么整个亚马逊，每年就可以吸收几十亿吨二氧化碳。如果20世纪热带雨林的面积没有减少到一半以下，那么，现在使地球变热的二氧化碳的60%左右都会储存在森林里，那样的话，地球温室化也就不会像现在这么严重。

第二，就是丛林所吸收的太阳能的用途。亚马逊吸收的80%的太阳能都用于蒸发丛林和河流的水分。亚马逊是不让赤道上灼热的阳光把地球变暖的一道防护林。但是，如果丛林的规模缩小，所吸收的太阳能也会跟着减少，这些剩余的太阳能将使地球变得越来越热。

第三，就是热带雨林蒸发出的水蒸气。丛林中一棵树一生蒸发出的水蒸气接近1万立方米。如此大量的水蒸气会升上天空，形成厚厚的云层，这些云层在阻隔太阳热量的工作中起着重要的作用。我们在前面已经说过，如果热带雨林消失了，阳光就会直射进来，那将是一个恐怖的酷热时代。由此可见，热带雨林的减少与地球温室化有着密切的关系。

如果人类能够对绿色的丛林稍加珍视，也不会像现在这样收到黄牌警告，未来也不需要面对如此严峻的形势。我们收到的黄牌警告就是我们无视绿色、无视自然所付出的代价。为了避免收到更可怕的红牌，我们每个人都应该从现在开始，对绿色自然倾注更多的关心与爱护。

Stage5
生命的洞穴终于现身
玛丙卦利、新月项链、羊皮纸文字，
靠着智慧、胆量和相互协作，
生命洞穴的神秘面纱被揭开，
鲁滨逊终于明白了神想向人类传达什么……

# 黑色的河水和黄色的河水

“哇，太神奇了。河水怎么会漆黑一片呢？”

鲁滨逊像发现了新大陆似的大叫着。他们乘坐的独木舟此时正经过由两条河交汇成“Y”字形的马瑙斯入口处。

从北边流过来的内格罗河的河水就像倾注了黑咖啡一样漆黑一片。相反，从西边流过来的索利蒙伊斯则像倒进了黄土似的，呈现出一片深黄。看来，上次鹦鹉说的地方就是这里了。

奇怪的是，这两股水流汇合后并没有混在一起，而是一左一右分别流走了。左边一半是黑色，右边一半是深黄色，中间形成了一条鲜明的分界线。

“从这里开始，就进入亚马逊的主流了。你以前看到的那些河跟亚马逊河比起来，不过是些小溪罢了。”

“啊，这里的河到底有多宽？”

“这里是 10 千米，不过再往前走一点，就会是这里的 3 倍，再往前走，会再宽上 3 倍。”

10 千米的 3 倍就是 30 千米，再 3 倍……那不就是将近 100

千米吗？世界上竟然会有这么宽的河。这哪里还是河呀，简直就是海嘛。是不是全世界的水都跑到这里来了……鲁滨逊扳着手指算了半天，还是觉得无法想象，使劲摇了摇头。

“这怎么可能嘛。这样河口三角洲的宽度就会超过 300 千米。”

“呃！”

鲁滨逊完全被亚马逊河一次就增长三倍的巨大规模震住了。他就像个一直走羊肠小道的山里人头一次到了闹市区的十字路口一样，都有点不知所措了。这时候，他突然发现此时独木舟正行驶在两条水流的分界线上，于是，他大声喊起来：

“喂，别到中间去，往右边划。”

“为什么？”

“不能走中央线，你怎么连这么简单的交通规则都不懂啊？”

**你知道吗？**

从北边流过来的内格罗河的黑色河水和从西边流过来的索利蒙伊斯河的黄色河水在马瑙斯相遇后，并没有合并在一起，而是一度分别流走。“河流的婚礼”以后，紧接着行进的距离是 10 千米。两条河那么长时间没有相互混合，主要是由于温度、密度和速度截然不同的缘故。

# 马瑙斯的神木

到达马瑙斯的时候，天已经完全黑下来了。只能看见河边的小茅屋中闪烁着微弱的火光。鲁滨逊和玛库纳伊玛向茅屋走过去，想借宿一夜。

“请问……呃呃！”

推开门走进去的鲁滨逊突然觉得一阵窒息，发出了一声呻吟。屋里弥漫着一股浓烟，什么也看不清楚。真弄不清楚这到底是住人的房子，还是正在着火的房子。

“谁呀？”

这时，从浓烟深处传出了一个老人干涩的声音。接着，他们又听到一个老太婆带着喘息的低沉的声音。

“哎呀，赶快把烟灭了吧，什么都看不到了。”

过了一会儿，浓烟终于散去，他们才看清楚，眼前并排坐着两个人，是一对白发苍苍的印第安老夫妇。

“我是乌伊突突部落的勇士，我的名字叫玛库纳伊玛。这是我的船夫，叫鲁滨逊。我们今晚想在这儿借宿一晚。”

哼哼，竟然说我是船夫。鲁滨逊正想立刻向两个老人解释，可那两个老人一听说他是船夫，根本连看都不看他一眼。

“是这样啊，没问题，别说是一晚，你们就是住上一年也可以。我是马瑙斯的渔夫，我叫兹乌卡耐，这是我的老伴。”

“孩子们，你们好，我叫莫卡普耐。咳咳——”

“您好，您嗓子不舒服吗？”

“唉，何止不舒服那么简单呀。我从跟他结婚起，已经在烟雾中生活了50年，别人看见都以为我们家着火了呢。咳咳咳——”

听了老伴的话，兹乌卡耐又不耐烦地点起了烟袋。于是，小茅屋又陷入了一片烟雾之中。

“你们是来找桃花心神木的？”

“是的，您知道神木在哪儿吗？咳咳——”终于，连玛库纳伊玛也开始咳嗽起来。鲁滨逊为了不让烟雾靠近自己，一直在用嘴呼呼地吹气。

“不知道，我在这里住了70年，还是第一次听到这个名字。”

“可是你刚才明明说……咳咳……”

“咳咳，我只知道神木是具有神奇力量的树……”

兹乌卡耐转了转眼珠，忽然不说话了，好像在思考着什么似的。一直缩在墙角躲烟的莫卡普耐趁着这个间隙开口了：

“老头子！他们说的是不是剧院后山上的树啊？”

可是，兹乌卡耐却瞪着她，大声呵斥道：

“不知道就别瞎说。那怎么会是神木呢？那是鬼木才对。这么大岁数了，怎么连神鬼都分不清楚？”

“咳咳，不是就不是嘛，那么大声干什么？烟已经这么大了。”

莫卡普耐咳了几声，又退回到角落里去了。不过，鲁滨逊还在想着莫卡普耐刚才说的话。他想，不管怎么样，还是应该到那里去看看，说不定会有什么发现呢。

“老爷爷。”

“怎么了？”

“老奶奶刚才说的那棵树上有什么样的鬼呀？”

兹乌卡耐望着他，皱了皱鼻子，好像很惊奇怎么一个船夫也会关心这个。不过，看着鲁滨逊正大口大口地吹着烟，他还是回答说：

“我也不知道到底是什么样的鬼，不过，那树上附了鬼是一定的。哦，我也不是完全肯定。”

“为什么？”

“凡是经过那棵树的人都会遇到同样的怪事，已经有十几个人了。老太婆？”

“什么事？”

“最开始是一个伐木工人用斧子砍到了自己的脚背，后来又有一个木材公司的老板被电锯打了一下，不久前，还有一些塔白拉族的坏蛋……”

“啊？！”

一听到塔白拉族的名字，鲁滨逊立刻不自觉地叫了起来，觉得好像刮过一阵寒风似的。结果，兹乌卡耐吐出的烟一下子都钻到了鼻子里。

呃呃，难怪因为间接吸烟得癌症的人那么多，这滋味可真让人受不了。

“你怎么了？”

“哦，没什么，您继续说。”

“长辈说话的时候一定要注意听。”

“是是……”

“我刚才说到哪儿了？哦，对了，是塔白拉族，不久前，一群塔白拉族的坏蛋从那里经过的时候，突然跳出来一个怪物，把那些人都吓晕了。真没想到，这些暴力组织竟然连晕倒都那么有组织。反正从那以后，再也没有人敢接近那棵树了。”

“怪物？什么怪物啊？”

“难道亚马逊有别的什么怪物吗？说到怪物，当然就是玛丙卦利了。”

听到这里，玛库纳伊玛的眼睛忽然一亮。玛丙卦利是亚马逊一种半人半兽的怪物。这种只在传说中出现的怪物竟然真的在马瑙斯出现了。他感觉事情好像越来越复杂了。

“你肯定是玛丙卦利吗？”

“不知道，不过按照塔白拉族头目所说，应该就是玛丙卦利。没错的，那么大的块头，红色的毛，还发出强烈的臭气，不就是玛丙卦利吗？”

玛库纳伊玛想了一会儿，觉得最好还是亲自去看看这棵附了鬼的树。他像个将军一样，对站在莫卡普耐旁边躲烟的鲁滨逊大声下达了指示：

“船夫，准备出发！”

你知道吗？

印第安人一直秉持着一些原始信仰，他们能从所有神奇或者令人恐慌的现象中，感觉到超自然的存在。对印第安人来说，瀑布、河流中猛烈的旋涡或者形状奇特的岩石等，都不是单纯的自然现象或者没有生命的东西，而是应该抚慰的精灵。像兹乌卡耐那样相信树上附有鬼神，在接受灵魂存在的印第安世界中是很正常的事情。

# 找到桃花心神木

两个人爬上了有鬼木的剧院后山。亚马逊曾经是世界最大的天然橡胶生产基地，这个剧院是 100 年前欧洲人建立的。

在山里，他们遇到了许多采橡胶的工人。

“这个，我想请问一下。”

“什么事？”

“这附近有一棵闹鬼的树，您知道在哪儿吗？”

听他们这么一问，那些工人瞪圆了眼睛，上下打量着鲁滨逊和玛库纳伊玛。他们看鲁滨逊的目光尤为奇怪，那种表情就好像撞见鬼一样。

“你们找那棵树干什么？要是被鬼抓走了怎么办？”

“嗯？这么说真的有这回事喽？”

“有是有，不过即使鬼看见你也会被吓跑的，你的脸就是最厉害的武器了。”

工人们又打量了一下鲁滨逊以后，终于告诉了他们鬼木的详细位置。

“顺着那棵椰子树向右边走，看到可可树后向左转，从两棵香蕉树之间穿过去……然后在一棵被雷打了的树前面有一条小道，顺着这条小道一直走就到了。”

“太好了，谢谢！”

鲁滨逊大声道了谢，然后就和玛库纳伊玛一起向树林深处走去。走了一会儿，他们面前出现了一棵高耸入云的红褐色的大树。

“哇，好大呀。这棵树最少也有几千年了吧？”

鲁滨逊绕着树转了几圈，连连感叹着。这树真是太粗了，绕着它走一圈也要花好些时间。看上去，这棵树的高度至少超过了100米。

“太奇怪了。”

“怎么了？”

玛库纳伊玛一脸迷惑地摇着头。鲁滨逊好奇地望着他，想知道是怎么回事。

“桃花心木一直都是以材质闻名的，那些伐木人到了这里，连一些很小的树都不会放过，可这棵树为什么长到这么高还没有被砍掉呢？”

“因为这树上有鬼呀……”

鲁滨逊眨巴着眼睛，捏细了嗓子回答说。不过，玛库纳伊玛立刻打断了他的话：

“亚马逊根本就没有什么鬼，这里只有伟大的自然之神。”

“那到底是为什么呢？”

“这个我也不知道。不过，不管怎么样，这一定不是一棵普通的树，你看上面，连一只鸟或者猴子都没有。”

“真的是这样啊。”

鲁滨逊抬头向上望了望，眼睛忽然亮了起来。他发现树的中间部分有一个小洞，在依稀的晨光里，小洞散发出一种幽邃的气氛。

“那是什么？是啄木鸟啄的洞吗？”

玛库纳伊玛顺着鲁滨逊所指的方向看去，然后摇了摇头：

“不是的，啄木鸟的洞很整齐，很好看，不会像这样又长又弯。”

“真不知道啄木鸟还是个雕刻家呢，说不定是哪只啄木鸟睡着了，啄歪了呢。”

鲁滨逊忽然又想起电视剧《许浚》中看到的“救援医生”来。难道人会生病，啄木鸟就不会吗？不过，玛库纳伊玛对他的话很不以为然。

“拜托你不要说这种蠢话好不好，都跟你说不是啄木鸟了。”

“这倒也是，从这个洞里进进出出好像也不太容易。要是这只啄木鸟背有些弯，那就更不行了。你看它的样子就像一轮新月，是吧？”

鲁滨逊脑子里忽然想起了什么。新月？怎么有种很熟悉的感觉？好像在哪里看到过……鲁滨逊皱着眉头，向四周看着，过了一会儿。

“项链！”

他一把抓起自己脖子上戴着的希普米特的那条项链。玛库纳伊玛也惊奇地轮番看着项链和树上的洞。真是太神奇了，这两个新月一模一样，就像是从一个模子里刻出来的。

“就是它！新月就是亚马逊王国的象征，所以希普米特的项链就做成了新月的样子。”

“那么，那个洞又是怎么回事呢？”

“笨蛋！你每天都说我笨，动动脑子嘛。树上为什么会有一个像新月一样的洞呢？这不正说明亚马逊王国和树之间一定有密切的关系吗？”

“那么……这棵树就是？”

“没错！”

鲁滨逊脸上充满了笑意，快活地说：

“这棵树就是桃花心神木。”

## 你知道吗？

啄木鸟为什么总是用嘴啄树干呢？原因主要有三点：第一是为了找吃的，第二是为了做窝，第三是为了表示这是自己的领土。啄木鸟的脚趾是分开的，前后各有两个，所以它可以和树保持垂直，而不会掉下来。因为它啄食的是病树里的虫子，所以又被称作“森林里的外科医生”。

在希腊神话中，亚马逊的女战士们都拿着新月形状的盾牌、矛、斧子和长枪等物品，而且还很擅长骑马。历史之父亚里士多德曾描述过从希腊移居到黑海沿岸的斯基泰部落土地上的亚马逊女战士的故事，其中就有关于“新月状盾牌”的描写。在表现希腊神话的各种图画或者雕塑中，都可以看到亚马逊女战士的形象，她们手里都举着新月形状的盾牌。

# 亚马逊天然橡胶的悲惨历史

最初使用橡胶的是中南美大陆的印第安人。1493年，哥伦布在新大陆的海地岛发现，当地的孩子们都拿着一个又黑又圆的东西在玩。这个掉到地上会弹起来的弹性十足的小玩意叫作“贝利”，在印第安语中是橡胶球的意思（球王贝利的名字也是这个意思，但贝利并不是他的本名，而是球迷们对他的爱称）。

印第安人发现，在潮湿的木头上涂一点橡胶，会很容易点燃。另外，如果在独木舟的裂缝中填入橡胶，还可以起到防水的作用。在屋顶上铺防水材料的时候，制作器皿的时候，或者制作长靴的时候，橡胶都是必不可少的材料。有一些印第安人还会把脚放进橡胶液里，然后再拿出来，等橡胶干了以后，就可以像穿鞋一样穿了，这就是世界上最早的胶鞋。

生橡胶有一个缺点，就是一旦受热就会像面糊那样变得黏糊糊的，遇冷以后又会变得硬邦邦。为了克服这种缺点，1840年，查尔斯·固特异发明了一种“橡胶硫化工艺”，就是在生橡胶中掺入硫黄后再加热。有了这一技术，橡胶在生活用品的生产中占据了一席之地，最后，连汽车和自行车的轮胎也可以用橡胶制作了。如今，“固特异轮胎”已经成了汽车轮胎的名牌。

进入19世纪50年代以后，橡胶的应用更加广泛。亚马逊也成为世界最大的天然橡胶产地，受到各方的瞩目。

曾经只是一个小港口的马瑙斯，由于便利的航路，一跃成为世界性的“橡胶之都”。1850年，马瑙斯的橡胶输出量只有1000吨，1870年是3000吨，1880年是1.2万吨，到1900年就已激增到了2万吨。与亚马逊当地建筑风格迥异的大剧院就是在这个时期建立的。到1910年，马瑙斯每年的橡胶输出量已经超过了8万吨，此时，在亚马逊一带200万平方千米的森林中，种植的橡胶树足有8000万棵。

但是，这种繁荣并没有持续太久。1870年，英国人悄悄把橡胶种子移种到了马来西亚广阔的农场中。与此同时，亚马逊的橡胶产量开始急速下降，几十年的乱砍滥伐让无数的橡胶树面临死亡。

马来西亚出产的橡胶于1919年正式面世，也就是在这个时候，亚马逊的橡胶产业开始走上没落之路。一些大国为了保证橡胶的产量，开始在世界各地建立橡胶农场，荷兰在印度尼西亚，法国在越南，美国在利比里亚……马瑙斯逐渐衰败，很多人因此破产。大部分商店都倒闭了，剧院也关了门。“橡胶王国”亚马逊和“橡胶之都”马瑙斯陷入了窘迫的困境。

第二次世界大战之后，一些强国制造出了可以代替天然橡胶的合成橡胶。后来，石油化工业开始发达起来，相当一部分的橡胶需求被合成橡胶取代。不过，已经被破坏的亚马逊的橡胶林却不能再恢复往日的生机了，当初的橡胶王国巴西竟然也沦落成了天然橡胶的进口国。

# 和蝇群一起出现的怪物

玛库纳伊玛小心地一步步爬到了树上。虽然已经找到了桃花心神木，不过事情还远没有结束呢。现在要做的是，在这棵树上找到一些关于生命洞穴的线索。解开问题的钥匙也许就在这个新月形的洞里。

鲁滨逊的视线紧跟着玛库纳伊玛向上移动的屁股。看样子，即使是身手那么敏捷的玛库纳伊玛，徒手爬上这棵大树也不是件容易的事情。

只见玛库纳伊玛像登山运动员一样，用手紧紧抓住树皮，一步一步艰难地向上爬着。

“还有多远？”

“再上去一点就到了。”

“现在还有多远？”

“讨厌！我都累死了，你不要再说话了。”

鲁滨逊闭上嘴，气鼓鼓地望着玛库纳伊玛……这时候，玛库纳伊玛终于到达了洞口，他小心地向里边望了望。

“看见什么了？”

“太深了，什么也看不到。哎，那边好像有一块什么白色的东西。”

玛库纳伊玛把胳膊伸进了洞里。不过洞太深了，他的胳膊连一半都伸不到。他从背上的箭筒里抽出一支箭，再次伸进去，可还是一样。

于是，玛库纳伊玛索性跳了下来，折了一根又长又结实的树枝。他正想再爬上去时，忽然抽了抽鼻子，然后瞪着鲁滨逊说：

“喂！你是不是又放屁了？这也是一种毒气，你知不知道？笨蛋！”

“你说什么呀，谁放屁了？”

鲁滨逊争得面红耳赤。然后，为了证明自己的清白，他转过身，把屁股向上拱了拱。

“嘿！你闻闻，根本就不是我……哼！”

鲁滨逊的脸皱成了一团。这时，突然有无数苍蝇飞了过来，把两个人包围在了中间，好像整个亚马逊的苍蝇全都飞到这里来了似的。鲁滨逊挥舞着手臂，大叫起来：

“呃啊啊，走开，快走开呀。”

就在这时，丛林里忽然传出一阵可怕的怪叫。听到这个声音，鲁滨逊觉得全身发冷，寒毛都立了起来。此刻，他也顾不上和苍蝇们搏斗了，立刻恐惧地用双手捂住了耳朵。

“咯啊啊——咯呃呃呃——嘎啊啊啊啊——”

“呃呃，真的是鬼呀。这不是神木，是鬼木呀。”

正在瑟瑟发抖的鲁滨逊忽然站起来，脱掉裤子，因为他突然想起妈妈缝在内衣上的护身符。妈妈说，不管是多可怕的鬼怪，只要看到这些护身符，就不敢近身了……不过，护身符是用结实的渔线缝上去的，怎么使劲也拽不下来。鲁滨逊急得没有办法，最后干脆直接把内衣脱了下来。

鬼叫声和那股恶臭越来越近了。小鸟被惊飞的声音，以及猴子尖叫的声音摇撼着清晨的丛林。玛库纳伊玛手里紧紧攥着短箭，紧张地等待着“鬼”的出现。

一股强烈的臭味在空气中散开。然后，一个又红又大的东西快速地从丛林里跳了出来。紧闭着双眼，摇晃着内衣的鲁滨逊听到了玛库纳伊玛颤抖的叫声。

“玛丙卦利！！”

# 怪物玛丙卦利的真面目

玛丙卦利发出可怕的怪叫，它瞪着玛库纳伊玛，好像立刻就要扑过来把他吃掉似的。它每次喘气的时候，鼻息就像蒸汽火车的烟一样冒出来。刚刚的恶臭就是从它的鼻息里散发出来的。

在这个家伙的左右肩膀上，各坐着一只金狮面狨，像是它抓的猎物，却又一副悠然自得的样子。不过，正极度紧张的鲁滨逊和玛库纳伊玛已经顾不上注意这些了。

玛库纳伊玛的箭已经刺中了玛丙卦利的胸口。但是，出乎他们的意料，箭竟然像火柴棍一样无力地掉在了地上。怪物好像觉得很好笑似的，咧开嘴，露出了锋利的犬齿。这下，那本来就很恐怖的脸变得更可怕了。

玛库纳伊玛拼死又射出一支箭。两支、三支、四支……他身上带的箭都射出去了，连长矛和短箭也扔过去了，可是结果还是一样。玛库纳伊玛这些战胜过美洲豹和大水蟒的武器，在怪物玛丙卦利面前却变成了一堆废物。

终于，玛库纳伊玛手上什么东西都没有了。而玛丙卦利好像已经等不及了，开始一步一步向玛库纳伊玛走过来。完了，这次真完了……玛库纳伊玛绝望地闭上了眼睛。而鲁滨逊一半因为害怕，一半因为怪物发出的臭气，早已经处于昏迷状态了。

玛丙卦利巨大的手掌已经抓住了玛库纳伊玛的脖子。这时候，只要它的手上一使劲，亚马逊勇敢的战士玛库纳伊玛就没命了。就在这千钧一发的时候，鲁滨逊呻吟了一声，睁开了眼睛。

"啊啊！"

鲁滨逊惊得一下子从地上站了起来。这时，他已经完全感觉不到什么恐惧、恶臭了。他脑子里只有一个念头，就是要救玛库纳伊玛。鲁滨逊像疯了一样挥舞着内衣，用带着哭腔的声音大喊起来：

"放开他！立刻把手松开。你这个讨厌的怪物。呃啊啊啊——"

玛丙卦利厌烦地伸出长长的手臂抓过了内衣。当与怪物可怕的眼神对视的那一刻，鲁滨逊感到了巨大的恐惧，他无力地闭上了眼睛。啊，我充满梦幻的青春就这样结束了……

忽然，奇怪的事情发生了。那个大家伙忽然停止了怪叫，完全感觉不到动静了。这个怪物怎么突然成哑巴了？难道护身符真的发挥威力了不成？要不然，是看见我的脸然后吓跑了？鲁滨逊心里胡乱猜疑着，他终于忍不住好奇把眼睛睁开了一条小缝。

"啊？"

鲁滨逊一下子懵在了那里，就好像每次数学考试的时候一样。那个怪物竟然恭顺地弯下膝盖，趴在了他的面前。呃呃，这不是在做梦吧？鲁滨逊不敢相信，他使劲拧了一下自己的大腿，哎哟！

他疼得咧了咧嘴。

这不是在做梦。可这到底是怎么回事呢？难道它在吃我们之前，要先祭祀一番不成？

鲁滨逊用疑惑的眼神望了望玛库纳伊玛。不知什么时候，他已经从玛丙卦利的手掌中逃了出来，这时，他跟鲁滨逊一样也是一脸疑惑的表情。到底发生了什么事呢？

“咯呃呃——咯噢咯噢——”

玛丙卦利用手指着鲁滨逊，好像想说什么。不过，在翻译到来之前，他们是不可能听懂它说什么的。急得鲁滨逊咣咣地拍着自己的胸脯，开始跟玛丙卦利说起来：

“嘿，你这个笨蛋！你到底要说什么？好吧，我回答你。哒啷哒啷，哒啷啷，阿撒阿撒，阿卟撒！行了吧？你是不是也听不懂啊，你是不是也很着急呀？”

“咯啊啊？咯噢咯噢——”

“哎哟，真是急死我了。嘀咚嘀咚！”

鲁滨逊继续和玛丙卦利一来一去地说着话。就在这时，玛库纳伊玛的眼睛忽然一亮。

“等等，我想……”

“怎么了？你听懂这家伙在说什么了？”

“它好像一直在指你的项链。”

“项链？它为什么要指我的项链？怪物也戴项链吗？”

鲁滨逊觉得十分荒唐，不过他还是抓起自己的项链，向玛丙卦利摇晃着。玛丙卦利忽然大叫了一声，举起两只手臂，不停地叩起头来，态度非常恭顺，就好像臣下拜见国王一样。

“它到底是怎么了？难道它想要这条项链？”

鲁滨逊傻呵呵地把项链藏到了背后，玛丙卦利立刻停止了叩拜，玛库纳伊玛好像突然明白了什么，使劲点着头。

“我明白了，原来是这样。”

“怎么回事？”

“玛丙卦利不是敌人，它是……”玛库纳伊玛高兴地说，“它是侍奉亚马逊女王的聪明的怪物。”

**你知道吗？**

人和动物之所以能闻到气味，是因为气体状态的化学物质刺激了嗅觉。如果具有味道的粒子进入鼻子，刺激了嗅觉细胞，嗅觉细胞的兴奋就会通过嗅觉神经传到大脑，这时就可以闻到气味了。人类可以区分1万种以上的味道，但是，由于嗅觉很容易疲倦，所以长时间闻一种味道，就会丧失感觉。狗的鼻子灵就是因为它体内的嗅觉细胞比较多。人的嗅觉细胞大约有500万个，而牧羊犬则有2亿个。

考古学家发掘出的最早的饰物是4万～20万年前的旧石器时代制作的贝壳装饰品。对原始人来说，饰物就只是单纯的装饰品，但从新石器时代和青铜器时代开始，它逐渐被赋予了巫术的功能，并成为一种身份的象征。印第安人用动物的骨头、鸟的羽毛、发光的石块等来装扮自己。从3万～4万年前，开始流行一种能够散发出对身体有益气体的名叫“杰罗拉伊特”的稀有矿石，成为广受欢迎的、最具代表性的装饰品材料。

# 测量桃花心神木的高度

从桃花心神木的新月洞口里拿出来的是一张白色的羊皮纸，上面写着一些复杂的文字，看上去好像是很久以前的象形文字，他们两个看了半天，也猜不出到底是什么意思。

“说不定兹乌卡耐爷爷能看懂，老人们好像都认识一些以前的文字，我们回去问问他吧。”

于是，两个人急匆匆地下山了。鲁滨逊用手紧紧抓着腰带，脚步蹒跚地走着。因为刚才脱内衣的时候动作太急，结果松紧带被拉断了。玛丙卦利拿出羊皮纸交给他们以后，就不知跑到哪里去了。

“真是太神奇了，那个怪物竟然是希普米特的手下。”

“它不是希普米特的手下，它是亚马逊王国的手下。玛丙卦利侍奉亚马逊女王的时间可比希普米特当女王早多了。”

“可是，为什么希普米特没告诉我们这些呢？”

“我想，大概连希普米特自己也不知道呢。亚马逊王国陷入灭亡危机以后，和玛丙卦利的关系也完全断绝了。不过，不管怎么样，玛丙卦利现在终于知道了亚马逊女战士的下落。”

“那么那些想砍桃花心神木的人遇到的事情也都是玛丙卦利干的喽？”

“是的，从很久以前开始，玛丙卦利就肩负着守护桃花心神木的职责。所以，一旦谁想破坏神木，它就会悄悄地阻止他们。而塔白拉族那些人，大概因为人太多了，它才不得不露出了真面目。”

“那么是谁把这个任务交给它的呢？”

“这个我现在还不知道，不过肯定是神的旨意。神不是还告诉我们，桃花心神木上有找到生命洞穴的钥匙吗？”

“那个羊皮纸又是怎么回事？”

“不知道，或许那上面写的就是找到洞穴的方法？”

“玛丙卦利跑到哪儿去了？”

“喂！”

玛库纳伊玛忽然生起气来，他斜睨了鲁滨逊一眼。

“你是自己没长脑子，还是脑子里进了水？干吗什么事情都来问我啊？你自己动脑子想想不就行了吗？”

结果，鲁滨逊比玛库纳伊玛更气，他说：

“好吧！我就是脑子里进了水，怎么样啊？”

兹乌卡耐戴上厚厚的老花镜，用手指一个一个地指认着文字，认真地一句一句地解释起来。羊皮纸上的内容是这样的：

新月树的高度是1步，向着指路星走10步，向太阳落山的方向走3步，满月的光辉照亮新月，洞穴守护者会出来迎接。

“这到底是什么呀？看起来好像是写在厕所里的那些乱七八糟的东西。”

鲁滨逊这么说是有原因的。他本人就有好几次被厕所里乱写的东西欺骗的经历。这儿写着让你向右边看，右边又写着向左边看，看左边又写着让你看上边，看上边又写着看后边，如果你继续看后边，最后通常会写着“笨蛋”。

“说一次不就行了，干吗这里那里的。”

“笨蛋，不是呀。”玛库纳伊玛烦躁地责备着鲁滨逊，“想想看，这里是没有路的丛林，所以没法用地图来告诉你，所以就只能写成比如‘西南多少多少米’这样。这个羊皮纸的主人这么写是想尽可能告诉我们最准确的位置。”

“……”

听了半天，就这句话是对的。可是，这也还没完全解决问题。太阳落山的方向，不用说，当然是西边，但是指路星又是什么呢？本来神谕的意思就费了好大劲儿才弄明白，现在又出现了这种意义模糊的句子。

“就算是这样，那指路星又是什么呢？天上的道路指示牌吗？”

“笨蛋！”

“什么？你又说我笨蛋？你……”

“指路星就是南十字星。通过观看夜空中的南十字星来找到方向，这样就可以知道路了，这不就是指路星吗？”

“……”

这话说得也不错。鲁滨逊这才想起来，在无人岛的时候，他也曾经靠北极星辨别过方向。这些我都知道啊，而且还亲身经历过……鲁滨逊忽然对自己的无知感到很不好意思，一定会被末淑笑话的。

“让满月照亮新月的意思，应该就是让月光照在项链上吧？”

“差不多吧。”

鲁滨逊满肚子不高兴地回答。玛库纳伊玛又低头仔细研究着羊皮纸，忽然，他像哪儿被卡住了似的，轻轻摇了摇头。

“现在的问题是该怎么测量桃花心神木的高度。必须先知道这个，才能按照羊皮纸的指示去做。”

“找把尺子量量不就行了吗？”

“笨蛋，到哪儿去找那么长的尺子呀？”

“那就找根绳子，爬到树顶往下放，然后再量绳子就行了。”

“根本就不可能有人能爬到那棵树顶上去，因为越往上爬，树枝就越细，还没等爬到顶上，就摔下来了。能上去的估计只有长翅膀的鸟了。”

“那咱们派一只鸟……”

“行了，别再说那么多废话了，快想想办法吧。”

鲁滨逊虽然受到责备，可心情并不太坏。嘿嘿，这家伙也知道我的主意多……于是，他闭上眼睛，开始考虑起测量大树高度的办法来。

“你说量影子？”

“没错。”

“笨蛋，一天里影子的长度一直都在变化呀。你怎么知道其中哪个才是大树的真正高度呢？”

“你才笨呢，我猜你现在一定还没有女朋友。”

鲁滨逊同情地看了看玛库纳伊玛，继续解释说：

“听好了，我们可以先在树旁边插一根小木棍，然后等着木棍的阴影长度和本身的长度一致的时候，我们只要在那个时刻测量出桃花心神木的阴影长度，就可以知道实物长度了。”

玛库纳伊玛听完后点了点头，用一种赞叹的目光望着鲁滨逊。这种时候，一定得矜持……鲁滨逊故意装出一副没什么的表情，好像对羊皮纸的暗号很不屑似的说：

“真是太没意思了，干吗不写得再难点儿呢？”

**你知道吗？**

和北半球通过北极星来确定北极一样，在南半球，通过南十字星就可以确定南极。南十字星的4颗星排列成十字状，把其中长的一边延长5倍，所到达的地方就是天空（天球）的南极。面朝这个方向的时候，身后就是北，右边是西，而左边就是东。韩国位于北半球，所以看不到南十字星，要是想直接观测南十字星，就必须到赤道南边去。

# 智力大考验第三回合

鲁滨逊专心地看着影子，等着那个重要时刻的到来。他将在木棍和阴影的长度一致的时候发出信号，玛库纳伊玛就会在桃花心神木阴影的末端做一个标记。这样，从树根到那里的距离就是树的高度了。

这时候，他忽然觉得有个硬硬的东西在敲自己的后脖颈。啊，这个家伙到底有没有专心在做事啊？不好好在那儿看着，跑到这边来干什么？鲁滨逊正要回头质问玛库纳伊玛，忽然从背后传来一个令他大感意外的声音。

“又见面了，小子。嘎嘎嘎——”

这不是莫基拉尤的声音吗？

“饶命啊，大叔。这次我可什么也没干呀。”

“嘎嘎嘎——你当然什么都没干，不过你会妨碍我。”

“嗯？你想要干什么？”

“你这个没礼貌的小子……我要砍这棵鬼树，怎么样？”

“什么？不行！你不能这么做。”

“看看，我就说你会妨碍我嘛。不过，这次我可以先下手了，我们塔白拉族很懂得未雨绸缪的道理，嘎嘎嘎——”

鲁滨逊觉得嘴唇干干的，要是在平时，玛丙卦利一定会出来保护神木，可现在玛丙卦利不在，要是自己和玛库纳伊玛都被抓住了，谁也阻止不了莫基拉尤的行动了。玛库纳伊玛虽然勇敢，可此时正被几十个拿枪的人包围着，一点办法都没有。

此刻，鲁滨逊已经没有了别的选择，也许只有一个方法可以救他们，但这是一个很危险的决定，如果失败，就会送命。鲁滨逊思考了半天，终于下定决心：

“大叔。”

“嘎嘎——干什么？”

“我们快点开始第三回合吧。”

“你说什么？”

“我说开始智力大考验的第三回合，你快点出题吧。”

“你小子！这可是你自己不想活命！你以为这次我还会出那么简单的题目吗？”

“不知道是我没命，还是大叔又输呢。不过我有个条件。”

“好吧。我们就来下个赌注。要是我输了，我就不要这棵树，不过，要是你输了的话……”

“你想怎么样？”

“我就阉了你，怎么样，干不干？”

呃呃，什么……世上竟然能有人想出这么恶毒的惩罚来……鲁滨逊开始犹豫起来，我可是鲁家的独苗啊，要是我有个好歹，鲁家可就要绝后了。末淑啊，我该怎么办才好呢？

“嘎嘎嘎——不敢了吧。这么点事儿都不敢，还想跟我斗？”

莫基拉尤嘲弄地看着他，鲁滨逊只觉得全身热血沸腾，他咬了咬牙，大声说：

“好吧。我接受你的条件。”

智力大考验的第三回合终于开始了，这一次可是关系重大，关系着鲁滨逊的死活，当然也关系到桃花心神木的死活。

“坏蛋！恶毒的家伙！老天真是不长眼，这种坏蛋怎么不早点把他抓走。”

鲁滨逊在心里不停地骂着莫基拉尤。打赌的时候，谁不希望自己能有百分之百的胜算，可这次，再怎么看也是一次危险的游戏，鲁滨逊取胜的概率几乎是零。

此时，鲁滨逊面前已经放好了一个盛着水的盆，盆底有一枚闪闪发光的金币。莫基拉尤出的题就是，手不准伸进水里，却要把金币取出来。可以使用别的工具，但是不能让水蒸发。如果能把金币拿出来，那这个金币就作为奖金给他了。

“这根本就不可能嘛，哪有什么东西能把金币拉到水面上啊？重量会向下作用，还有气压……”

等等，我刚才说什么？气压？气压……我怎么觉得这个词这么亲切，难道这方面有什么办法？没错，我的直觉一向都是最准的。

终于，鲁滨逊的眼睛又开始放光了。

“啊！神啊，这次我终于明白了。”

鲁滨逊不停地琢磨着这个问题。玛库纳伊玛站在一旁，用崇敬的眼神望着他，那神态就像玛丙卦利在项链面前一样虔诚。

“哈哈哈，莫基拉尤。天下再没有比你笨的人了。你不是想出了一个比上回难的题目吗？可你一定想不到我可以用同样的原理解决这个问题。不过话说回来，你要是懂这些，也不会当暴力组织的头目了。”

鲁滨逊满意地摩挲着拉上来的金币。用这笔钱干什么好呢？好吧，就拿它给兹乌卡耐爷爷买些烟吧。啊，不行，这样莫卡普耐奶奶会不高兴的，还是拿一半出来给老奶奶买咳嗽药好了。剩下的就归我啦。

“滨逊哥。”

“嗯，你叫我什么？”

“我叫你滨逊哥呀。”

“嘿，你没事吧？怎么了，怎么忽然叫起我哥了？”

“从今天开始，我就把你当我的哥哥了。”

“为什么？”

“因为你太棒了。人聪明，心地又善良，热爱我们的丛林，还有……反正就是很棒。”

“这个嘛，虽然你说的都没错，不过……”

此时，玛库纳伊玛对鲁滨逊的尊敬之情已经溢于言表，完全以鲁滨逊的弟弟自居了。通过这次拯救亚马逊的历险，两个人已经不知不觉变成了最亲密的朋友，而现在又变成了相互尊敬的兄弟。

“不过滨逊哥，你到底是怎么把这个金币拿出来的呢？”

“哦，你问这个呀？其实我只是很简单地利用了一下气压。”

“气压是什么？”

“气压嘛，就是空气向下压的力量……这样一弄，鸟蛋就会下来，那样一弄，金币就会上来……明白了吗？”

“好像明白又好像不明白。不过，不管怎么说，滨逊哥很棒就是了，简直就是天才，世界第一！”

“嘿嘿，是啊是啊，我觉得也是。”

“我简直太崇拜你了。”

“很好很好，那就继续崇拜吧。”

# 亚马逊的纯情少女

“你怎么能这样，我们不是早就说好了吗？”

“闭嘴！我是绝对不会放弃桃花心木的。你就给我一边待着吧。嘎嘎——”

莫基拉尤违反了约定，可还是一副泰然自若的样子，好像从一开始就没有打算遵守似的。他痛快地看着被捆在一旁的鲁滨逊和玛库纳伊玛，大声地吩咐一名手下：

“塔波里奥，把这两个小子给我带走。”

“是，老大。”

“还有，别忘了好好教教你那个笨弟弟莫波里奥，怎么卖点东西老是卖不好！我们砍树打猎是为了什么？不就是靠卖掉它们挣点钱嘛。”

“知道了，老大。”

“让他好好跟你学学，双胞胎怎么会这么不一样……”

塔波里奥把鲁滨逊和玛库纳伊玛带到一个窄小的仓库里，把门锁上后就走了。这一次，鲁滨逊虽然也绞尽脑汁想逃走的办法，可半天也还是一点主意都没有。全身都被捆得紧紧的，几乎连手指头都动弹不得，怎么可能逃得掉呢?

这时候，门忽然被打开了，莫基拉尤走了进来。他傲慢地看了两个人一眼，然后一嘴酒气地说：

“塔波里奥，你今天晚上就守在外面看着他们。”

“是。”

“你要特别小心这个长得贼眉鼠眼的小子，他的坏主意可多呢。你，有本事你就再跑一次啊，嘎嘎嘎——”

“……”

“莫波里奥。你守住那边的路口，要是这两个家伙跑了，你就立刻敲鼓通知我们。”

“知道了，老大。”

“还有，明天要早点把桃花心木砍走。万一那个怪物又出现，就用机关枪把它打死。嘎嘎嘎——”

鲁滨逊紧紧咬着嘴唇，在这种双重包围的情况下，即使解开了绳子，也一定跑不掉。而且，这帮坏蛋还有机关枪，就算玛丙卦利回来保护桃花心神木，可能也不管用了。

“孩子们，做个好梦。从明天开始，你们就要踏上一条更艰苦的路啦。明天，我要把你们卖去做奴隶。嘎嘎嘎——”

莫基拉尤阴险地笑着，走出了门。啪嗒——塔波里奥随后把门上了锁。

这天夜里，有人过来给了守着鼓的莫波里奥一些东西，然后，莫波里奥忽然就不见了，过了一会儿才回来。

后来，那个人又给了守仓库的塔波里奥一些什么，塔波里奥打了个哈欠，就开始呼呼地打起呼噜来。然后，那个人走过去，翻着塔波里奥的口袋。

塔白拉族的老窝里发生了一件很复杂的事情。

啪嗒——

“哦！谁？”

“嘘！别说话。”

这时，门开了，进来的人竟然是莫基拉耐。她用刀费力地割着两个人身上的绳子。鲁滨逊虽然还没弄明白是怎么回事，不过为了解开绑绳，他还是按照莫基拉耐说的，安静地配合着。

莫基拉耐领着他们俩走出仓库，小心地把锁重新锁好后，把钥匙放回了塔波里奥的口袋。然后，她向鲁滨逊和玛库纳伊玛做了个快走的手势。此时，塔波里奥正打着瞌睡，头像小鸡啄米似的一会儿磕一下，一会儿又磕一下。

“莫基拉耐，你在干什么，要是被你爸爸知道了可怎么办……”

“没关系，你们快走吧，被别人发现可就糟了。”

莫基拉耐不停地催着他们俩，好像生怕耽误一秒钟就走不掉了似的，也许是因为紧张，她的肩膀不停地抖着。

“这样没用的，很感谢你来救我们，可是……”

鲁滨逊摇着头，一脸沉重地说：

“莫波里奥还守在路口，他看见我们的话，就会立刻敲鼓，然后那些拿机关枪的人就会冲上来。要真这样的话，你千万别管我们，自己一定赶快跑，别让那些人看见你。”

“鼓不会响的，你们放心快跑就行了。”

“不会响？为什么？”

“因为我已经把它划破了。”

“什么？你？”

“我刚才让莫波里奥喝了一些掺了泻药的酒，趁他上厕所的时候，我就偷偷……我还给塔波里奥吃了安眠药，所以你们不用担心，快点走吧。你们连一个莫波里奥都打不赢吗？”

“莫基拉耐，你……”

“哦，对了，你们不要伤害莫波里奥，他从小就是孤儿，他是个好人，后来才变成这样的。”

鲁滨逊愣愣地望着莫基拉耐。以前他虽然也听过古代朝鲜的

乐琅公主为了救王子撕破鼓的故事，可万万没想到，这种事情竟然发生在了自己身上……莫基拉耐使劲推着他，让他快走，可鲁滨逊的腿好像长在了地上一样，一动不动。

“滨逊哥哥，快走呀！”

“是啊，你别让莫基拉耐着急了，快走吧。”

鲁滨逊终于迈动了脚步，他再次感觉到了背后莫基拉耐注视他的目光，可这一次，他却一点都没有上次那种难受的感觉。

塔波里奥睡着睡着，头倒到旁边，从睡梦中惊醒过来。他抬头看了看，锁还牢牢地挂在门上，钥匙好好地在口袋里。嗯，什么事都没有……他揉了揉惺忪的睡眼，又把头低垂下去。

莫波里奥的神情就好像看见了鬼一样。明明捆得紧紧的两个人，怎么会突然蹦到了眼前，他们竟然逃了出来？他马上拿起鼓槌，用力地敲着鼓。

噗——

“怎么回事？再来！”

噗噗——

突然，莫波里奥像被人施了催眠咒一样，软绵绵地倒在了地上。这是勇敢的亚马逊战士玛库纳伊玛绕到后面去偷袭的成果。玛库纳伊玛好像已经忘了莫基拉耐的嘱咐，使劲踢了莫波里奥几下。

他们逃走以后，桃花心神木周围响起了各种各样的声音。

有莫基拉耐思念鲁滨逊的哭声。

有塔波里奥和莫波里奥被莫基拉尤一顿训斥驱逐出组织后的

哭喊声。

另外，回到桃花心神木的玛丙卦利平时就是爱嚎叫的怪物，所以现在正像往常那样叫着。

而莫基拉尤则喊叫了三回。第一次是被鲁滨逊和玛库纳伊玛气得大叫；第二次是玛丙卦利出现以后，手下的人用机关枪扫射，他心疼那些子弹而大叫；还有一次则是因为无法得到珍贵的桃花心神木而郁闷地大叫。

最后，还有丛林中猴子、青蛙和小鸟们的叫声。

你知道吗？

锁的历史是相当悠久的。最早的锁是公元前2000年古代埃及人使用的插销锁，紧接着是古代罗马人制造的铁锁。在中世纪的欧洲，各家的大门上都挂着锁。历史上最臭名昭著的锁就是参加十字军战争的欧洲男人给自己的妻子上的贞操锁。对于12～15世纪欧洲战役中流行的贞操锁，受益的只有那些锁匠。

有力的拳头需要满足3个要素，就是力量、速度和准确性。如果胳膊上的肱二头肌鼓鼓的，就表示这个人很有劲，拳头也很有力。但是，其实肩膀附近的肱三头肌会对出拳产生更大的影响。下半身作为轴也很重要，特别是膝盖和脚踝的力量，另外，腰的柔软性也和出拳力量有着密切的关系。

## 鲁滨逊的秘密武器之三：利用气压的三种魔术

### ⑴手不伸进去拿出硬币

这个魔术的原理与前面解释过的“把鸟蛋放到葫芦瓶里”是一样的。把一团沾有酒精的草点燃后放到瓶子里，等到火一熄灭，就立刻把瓶子倒扣在盆上。这样，因为瓶内的气压比瓶外低，水就会进入瓶子里。

还有一种方法，就是在瓶子里放上水，烧开后把水倒掉，然后倒立在盆上。热瓶里的空气一接触冷水，就会被液化，瓶子内部就差不多变成了真空状态。当然这时候瓶子里的气压就会降低，结果就和前面的方法一样——水盆中水位下降，硬币被拿出来了！

### ⑵不用嘴吹气球

在烧瓶里可以吹气球吗？不用嘴，而且不绑住气球口也可以保持原样？这似乎根本不可能，但是，鲁滨逊的字典里没有“不可能”三个字。现在我们就来揭开其中的奥妙。

在烧瓶中加入水，然后加热，水开始沸腾的时候，把气球套在瓶口上。这样，由于瓶里的空气膨胀，气球就会被吹起来。这时，如果把烧瓶浸到凉水里进行冷却，水蒸气就会被液化成水，这样，烧瓶的内部就几乎成了真空状态。因为里外的气压差异，气球就会迅速胀满整个烧瓶，因为外部的气压会均匀地压迫气球，所以气球会很漂亮地贴在烧瓶内壁上。

### (3)用凉水烧开水

用凉水可以把水烧开？这也太不可思议了吧？可是，再不可思议的事情到了鲁滨逊这里，也都成了可能。

在烧瓶中放上水，加热，等到水开始咕嘟咕嘟沸腾的时候，马上把瓶口封上，然后把烧瓶倒过来，等到里面的水不再沸腾的时候，往烧瓶底上倒凉水，瓶里的水就会再次开始沸腾。这是因为变热了的瓶底一接触凉水，烧瓶里面的水蒸气就会被液化，这样，瓶内的气压就会跟着降低。气压降低以后，沸点也会降低，所以烧瓶里的水会再次沸腾起来。

相反，如果气压升高，水的沸点也会升高，高压锅就是利用这个原理制造的。高压锅的内部气压是大气压的两倍，这种情况下水的沸点是120℃。在高温下沸腾，食物很快就能煮熟，这样，不但可以节省燃料，而且味道香糯，营养被破坏的程度也比较小。妈妈们都喜欢用高压锅，原因就在于此。

# 生命的洞穴

要想找到生命洞穴，需要做很多准备工作。鲁滨逊和玛库纳伊玛暂时摆脱了莫基拉尤的纠缠，他们又测量了一次神木的高度，然后准备了一条长度为神木高度 10 倍的粗绳。

鲁滨逊拉住粗绳的一端，把它绑在桃花心神木上，又把剩下的缠好搭在肩膀上。这样，再向南一直走到粗绳全部拉开，就是“向指路星方向走 10 步”了。玛库纳伊玛则瞄准南十字星的方向，在前头领路。

粗绳完全拉开的地方是一个小树桩。从那里要想朝“太阳落山的方向走 3 步”，还需要做两件事。一件是把绳子截成原来的 3/10，另一件就是准确确定西边的方向。玛库纳伊玛负责前一件事，而鲁滨逊负责后面一件事。

“你在干什么呀，我已经把绳子截好了，你怎么什么都没做？”

“我想明天再干。”

“你可真是个大懒虫！要做就一起做完嘛，干吗非要拖到明天再干？”

“笨蛋！不知道就别瞎说。我的工作在晚上是没法干的。”

“为什么没法干？”

“要等太阳升起来呀。有了太阳才能利用阴影来确定东南西北嘛。”

真是笨家伙，什么都不懂就罢了，竟然还说我是懒虫……鲁滨逊轻敲了一下玛库纳伊玛的脑袋。于是，玛库纳伊玛的脑袋里响起了一种神奇的声音，好像在敲钟一样。

嗵——嗵——

第二天，鲁滨逊使劲搜寻着无人岛上的记忆，重演了一遍根据太阳光测量东南西北的方法（参考《男孩的科学冒险书 1：征服无人岛绝境》中的第 46 页）。然后，他就开始昂首阔步地向西边走。向西走 3 步以后，出现在他们眼前的是一条清澈的小溪。

几天以后，一轮圆月升上天空，柔和的光辉照亮了整个亚马逊丛林。

鲁滨逊摘下希普米特的项链，举过头顶。在月光的照射下，新月项链散发出一种银色的光彩。洒落的眼泪形成的亚马逊河的满月，和亚马逊女儿国的象征新月，两个月亮在亚马逊的夜空和地面上交相辉映。

“洞穴的守护者会出来迎接……”

鲁滨逊的心里开始焦急起来的时候，耳朵和鼻子同时感觉到有熟悉的声音和味道向他袭来。过了一会儿，他的眼前展现出一幅熟悉的景象。

“咯呃呃——咯噢咯噢——”

是玛丙卦利。它看到了在月光照射下反射出银色光辉的新月项链，不知从哪里像箭一般飞快地跑了过来。此刻，它已经不再是亚马逊可怕的怪物，而是受到神的指派，看守生命洞穴的神圣的洞穴守护者。

玛丙卦利咧开嘴，露出锋利的牙齿，好像很欣喜似的笑了。然后，它开始用手脚比画着，好像想跟他们说什么。

“咯咯——嘎啊呜呜！”（翻译：祝贺你们解开了神谕的秘密。）

“呃，又开始了！”

“咯啊嘎啊啊噢！”（翻译：请跟我来吧！）

“它到底在说什么？真是郁闷死我了……”

“它好像说让我们跟它走？”

玛库纳伊玛看着玛丙卦利的样子，好像明白了一点。玛丙卦利看他们明白了，急忙点点头，然后就引着两个人往前走去。

这里是一片好像从来没有人来过的茂密的热带雨林，接着眼前出现一条连飞鸟都很难飞过的险峻峡谷。在峡谷对岸的山上，有一个巨大的黑洞。

就是这里，这里就是神谕中的生命洞穴了。

**你知道吗？**

亚马逊是鸟儿的天堂。生活在丛林中的鸟类，生活在河边的鸟类，还有生活在草原上的鸟类，种类都不一样。据鸟类专家猜测，如果把三个地方的鸟加在一起，已知约有1300多种。这个数字几乎占了整个地球鸟类的15%。还有一些学者认为，亚马逊的鸟类甚至可以达到5000～6000种。无论是土地、河流，还是天空，从任何一方面来讲，亚马逊都是地球生态系统的一个巨大宝库。

## 啊啊！盖亚女神！

“哇哦——”

“这都是什么呀？”

洞穴里的景象让鲁滨逊和玛库纳伊玛都大吃了一惊。洞穴里面有无数的动物，每种动物都有两只，好像是一对夫妻。

在这些动物里面，有亚马逊历史最悠久的貘，有最大的啮齿类动物——水豚，还有一种样子长得像ET、走路缓慢的动物——亚马逊野猪，此时它正喷着重重的鼻息，快速地来回走着。旁边，印第安人崇拜的黑色美洲豹正躺在地上睡午觉。

“你看那边，金狮面狨！”

顺着鲁滨逊手指的方向，两只有着金黄色光泽的金狮面狨正亲热地相互理着毛。这时，玛库纳伊玛突然想起，当时坐在玛丙卦利肩膀上的就是这两只猴子。

“原来是这么回事啊。”

“你说什么？”

“我知道这里为什么是生命洞穴了。在这里的都是亚马逊面临灭绝危机的动物，它们可以在这里继续繁衍生息。所以它们都是一对一对的，因为只有这样，它们才能继续繁衍下一代。”

“哦，原来是诺亚方舟呀。”

“真是太神奇了，人类大概做梦都不会想到。”

“不过，这么多的动物，到底是谁养的呢？”

“当然是玛丙卦利。在这里出生的幼崽长大以后，玛丙卦利就会把它们再次带回丛林里去。啊啊，没想到它竟然在做着这么伟大的事情。”

“我早就跟你说过，不能以貌取人。”

“没错。哥哥你也一定因为长相被好多人误解过吧？”

“什么？”

玛库纳伊玛饶有兴致地看着鲁滨逊涨红的脸，突然，他向左右看了看说：

"如果是生命洞穴？那也应该有植物啰？"

"是啊，没有植物的亚马逊还能叫亚马逊吗？"

"因为植物没法长在洞里，所以应该是在外面。"

玛库纳伊玛飞快地跑到洞外，鲁滨逊也紧跟着他跑了出去，前面传来玛库纳伊玛的惊叹。

"你怎么了？"

"你快来看，真是太棒了！"

玛库纳伊玛用手指着洞穴对面。刚才过来的时候，他们没有注意那里，现在一看，原来那儿生长着很多珍稀的植物。树，草，花，还有蔓生植物，它们相互攀缘缠绕，就像一幅美丽的图画。其中有几乎已经灭绝的巴西苏木，还有以"香奈尔 5 号"香水的原料而闻名全球的依兰。

"可是这些树是怎么繁衍的呢？动物可以生幼崽，树木怎么办呢？"

"你看。"

玛库纳伊玛又用手指向另一个地方。那里有一片新树，有的刚开始生根，还有的已经长得略大。原来是风或者动物们的排泄物在地上播下了种子。在这个还没有被人类的欲望染指的地方，植物用它们自己的方式，建立了一个绿色的王国。

"还有鱼和昆虫呢？它们在哪儿？"

"刚才我好像看见洞里面有水在流。"

两个人一边说着，一边又走进了洞里。果然，不知从哪儿流进来的水在洞里形成了一条很宽的河流，静静地流淌着。水周围布满了各种各样的水上植物，栖息着大大小小的各类昆虫和爬行动物，水里不时还有各种鱼儿翻起水花。

“简直太奇妙了。洞穴里竟然又是一个世界。”

“不过，其实这并不是什么值得高兴的事。这些生物是没有办法才躲藏在这里的，它们一定很想回到自己本来的家。”

“你说得对，这并不是一件好事。”

最早的那个世界，曾经是所有生物的乐园，神看到这种景象也很高兴，而现在，这些动植物却要躲藏到洞穴里来，可见它们的乐园已经被破坏到了什么地步。鲁滨逊似乎也感觉到了神在建立这个洞穴时的心痛。

“神谕里不是说，要想医治妈妈的病，就要找到生命的洞穴。现在我终于明白这句话是什么意思了。”

鲁滨逊环顾着洞穴里的景象，眼神一点点平静下来。

他们开始在洞穴里寻找神留下的指示，但找了半天也一无所获。玛库纳伊玛希望这里会写着什么，留心查看了墙壁和地面，可什么也没有，而鲁滨逊从一开始就没抱什么希望。与一脸失望的玛库纳伊玛不同，鲁滨逊的表情像湖水一样平静。

“大自然的病与人类的病是不一样的，根本不存在什么医治的特效药。”

“可是，我们之所以会到这里来，不就是因为神谕中说这里会有答案吗？”

“没错，答案就在这个洞穴里。神是绝对不会说谎的。”

“那答案到底在哪里呢？”

“难道答案一定得是写的字或者画的图吗？整个洞穴就是我们要找的答案呀。”

“整个洞穴？”

“这些可爱的动物，还有那些漂亮的植物，看着这些，难道你不觉得震惊和赞叹吗？而它们却不能待在它们本该待着的地方，你不觉得遗憾吗？至少我是这么觉得的。你呢？”

“我的感觉和你一样。”

“是呀，这都是这个洞穴教给我们的呀。它告诉我们最初的大自然是多么美丽，而我们应该做的，就是把被人类破坏的自然恢复原样。这就是医好妈妈的唯一方法！”

“可是……”

“神谕并不是为了给我们什么特别的解答，它只是想告诉我们，我们生活的世界变成了什么样子。其实玛玛普耐说的时候，我就已经隐约感觉到了。神是想让我们觉醒，让我们悔悟，每解开一句神谕的含义，我们就多感觉到了一点，多学习到了一点。神想要的就是这个。”

“可是，希普米特还盼着……”

“回去以后，我们就对希普米特这么说。亚马逊女儿国的命运和整个亚马逊丛林的命运是连在一起的，等到满目疮痍的亚马逊河与亚马逊丛林恢复原来的生机时，就是希普米特的王国得以复兴的时候。”

“我来到这里以后，本来还以为会有什么明确的答案，你说，希普米特是不是也是这么想的？”

"那好，那我们就说，在洞穴的顶上写着很多答案，内容嘛……"鲁滨逊微笑着说，"写的就是'把整个亚马逊建成生命的洞穴'，你觉得怎么样，很深刻吧？"

"你真是太聪明了。"

玛库纳伊玛的脸上也露出了笑容。

这虽然是一个很简陋的洞穴，却给了鲁滨逊和玛库纳伊玛很多宝贵的启示，他们简直都不想离开这个神秘而美丽的地方了。不过，为了把整个亚马逊都变成像这里一样，他们还是暂且把这里交给了神和玛丙卦利，走了出来。两个人走出了很久，还不时留恋地回头张望，直到再也看不到洞穴的入口。

而就在这个时候，鹦鹉又飞来了。看见鹦鹉飞过来，鲁滨逊立刻本能地举起双手，护住自己的头。面对鹦鹉尖利的嘴，鲁滨逊要保护自己脑袋上为数不多的几根珍贵的头发。

"注意！注意！"

鹦鹉瞪了鲁滨逊一眼后，向他扔了个什么东西。鲁滨逊仔细一看，原来是一张羊皮纸，与从桃花心神木里发现的那张一模一样。

"这是什么？"

"信！信！"

"什么信？"

"打开就知道了！打开就知道了！"

到底是谁写来的信呢？希普米特？难道是和巴节的结婚喜帖不成？鲁滨逊摇着头，打开了羊皮纸。

快擦干妈妈的血
快滋润妈妈的身体
快抚慰妈妈的心
所有的孩子都是由妈妈给予生命
在妈妈的怀抱里生活，然后再回到出生的地方
伤害了妈妈健康的孩子就再也没有家了
珍视自然吧
这一切并不是从上一辈继承的
而只是暂时向下一辈借取的

读完以后，鲁滨逊的脸上露出了微笑，他像在做翻译似的大声朗诵起来：

“让河水清起来，让大地肥沃起来，让森林茂盛起来，所有的人都在大地上出生，在大地上成长，最后还要回到大地的怀抱，那些破坏了自然秩序的人将再也没有可回归的家园……”

“哇，才看了几遍神谕，就变成诗人了？”

一旁的玛库纳伊玛赞叹着，可对鲁滨逊说的却一个字也没听懂。但是，他看到纸上刚劲的字体，好像也已经感觉到了其中重大的含义。

“没错，自然并不是从过去继承来的，而是向未来借取的。如果所有人都能这么想，那么即使是对一棵小草，也会非常珍惜。”鲁滨逊又看了一遍羊皮纸后，激动地说。

然后，他问一直在头顶盘旋的鹦鹉：

“是谁让你把这封信交给我的？”

听他这么一问，鹦鹉立刻做出一副严肃的表情，郑重地望着鲁滨逊。那意思好像是在说，你竟然不知道是谁。然后，它说出了一个名字：

“盖亚！盖亚！”

一个美丽的名字——盖亚。她就是创造自然和生命的伟大的大地女神。

**你知道吗？**

诺亚是《圣经·创世纪》中洪水故事里的主人公。他是亚当的第9世孙，是正直的象征。当时，上帝对人类的堕落感到十分愤怒，决定毁灭世界。上帝把这件事告诉了诺亚，让诺亚造一艘大船，也就是挪亚方舟，然后带走世界上所有生物的公母各一只。上帝发起了大洪水，整个人类都灭亡了，而诺亚和他的家人，还有船上的那些生物又重新开始繁衍后代。如果这个故事是真的，那么现在的所有人类都是诺亚的后代。

## 盖亚假说：地球就是活着的母亲！

盖亚是希腊神话中的大地女神。在西方人的意识里，盖亚任何时候都是“土地”或者“大地”的象征。与土地有关的英文单词，比如Geography（地理学）或者Geology（地质学），前面的词头“geo-”就是由Gaia（盖亚）的名字而来的。

另外，盖亚也是母亲的象征。在希腊神话中，有一句很著名的神谕，叫作“把母亲的骨头抛向空中”，其中母亲的骨头指的是石块。因为大地是母亲，那么石块当然就是骨骼了。东西方文明里大多有这样一个共同的特征，就是把大地看作母亲。

“盖亚假说”是英国大气学家詹姆斯·洛夫洛克在1979年发表的一个著名的环境理论。他通过这个理论，采取了一种与以往截然不同的方式对地球进行了说明。他认为，地球并不是单纯的石块，而是一个活着的有机体。为了强调地球是个生命体这一事实，他称呼这个理论时用了盖亚的名字。

洛夫洛克指出，地球也像其他任何一个生命体一样，拥有肺（森林地区）、血（河流和大海）、骨骼（岩石）和体温（大气）等，在对外部变化做出能动反应的同时，它还具有保持自身状态的能力。来自太阳的能量一直在不停地变化，但地球的平均气温在35亿年间几乎一直保持在13℃左右。还有，大气中的氧气从6亿年前开始就维持在21%的水平。

以上都是有利的证据。地球的生物界和无机界相互联系，形成了一套自我调节系统。这种与生命体的生理作用类似的现象就叫作“地球生理学”。

洛夫洛克的主张一经提出，就引发了正反两方面的激烈争论。尽管有很多争议，但是大家都很同意他提出的这种看待生命的新视角，以及对人类和自然关系的深入研究。而他最大的贡献就是，他并没有把人类当作征服自然（盖亚）的对象，而是看成与自然息息相关的对象，这为人类反省以前破坏环境的行为提供了一个契机。

## 归途中的对话

“你想得很对，玛库纳伊玛，如果像你这样热爱亚马逊的勇敢的印第安人能站出来守卫亚马逊的话，亚马逊一定能很快变回它原来的样子。”

“谢谢你，如果滨逊哥能和我一起来守卫亚马逊就好了。”

“可我必须回家去了。在韩国要做的事情也很多，那里的自然不也是需要我们拯救的妈妈吗？”

“可是，盖亚女神自己创造了大地，为什么不直接站出来，却要把自然交给人类呢？差点就被毁掉了。”

“创造者虽然是盖亚，但是生活在这里的却是人类呀。既然是我们破坏的，我们就应该亲手来拯救它。我们不能欠后代的债呀。”

“要是我的爸爸妈妈还活着就好了，我也可以当一次他们的债主了。”

“你不是还有巴节，还有希普米特，还有世世代代生活在亚马逊的印第安人吗。我想，只要是热爱亚马逊的人，就都是一家人……呃呃！”

鲁滨逊突然捂住脑袋，一边揉，一边大叫。鹦鹉咯咯地笑着，飞向了高处。

“报仇啦！报仇啦！”

你知道吗？

“大地是万物之母，现在把她交给你们。希望你们能够明白，你们的生活习惯会对水、动物、空气，以及你们自己产生什么样的影响。不要再继续破坏这个世界了，希望你们能尽快找到解决你们所犯错误的对策……我们已经无法再在这个地方生活下去了。”这是真人部落的酋长——“威风凛凛的黑天鹅”留下的话。这些土著人因为无法再继续在被严重破坏的自然中生活，所以他们决定不再生育孩子。等他们中最年轻的那个人死了以后，这个部落就会永远从世界上消失。

# 后记

——丛林勇士玛库纳伊玛成了亚马逊环境监督组织IBAMA的一名成员。以他的实力，相信过不了多久，就可以成为骨干。他将成为偷猎者和入侵者们憎恨的对象，但他更是乌伊突突部落引以为豪的英雄。

——希普米特领养了一个失去父母的小女孩，像亲孙女一样精心抚养。她希望女孩长大后可以成为下一任女王。由于鲁滨逊的再三请求，她给女孩取名为末淑。不过，她现在最头疼的就是巴节经常跑来找她。

——因为手下都被玛丙卦利吓跑了，莫基拉尤成了光杆司令。不过，最近他为了召集成员，一有机会就在亚马逊的跳蚤市场上张贴广告。

——莫基拉耐迷上了韩国的传统歌剧，正在学习《春香歌》。她那破锣般的嗓音倒是很适合演唱这首曲子，前途十分光明。不过有一个问题，就是她总是把戏里的男主角梦龙唱成鲁滨逊。

——曾经是孤儿的塔波里奥和莫波里奥兄弟俩成了兹乌卡耐

和莫卡普耐夫妇的养子，住在河边以打渔为生。不过，塔波里奥卖东西的时候怎么也卖不过莫波里奥，所以收入总是少一些。

——穆加普耐老人历经千辛万苦，终于找到了普奇纳。还多亏了玛库纳伊玛在生命的洞穴附近发现了这种稀有的草药。最近，他还成了“保护亚马逊印第安人协会”中亚诺玛米部落的代表。

——玛玛普耐老人成了该组织在秘鲁的代表。他和穆加普耐虽然是第一次见面，但因为年纪和脾气都差不多，很快就成了好朋友。有时，他们谈起鲁滨逊，还会一起喝酒喝到深夜。

图书在版编目(CIP)数据

男孩的科学冒险书.2/〔韩〕朴敬洙，〔韩〕张京爱著；〔韩〕李宇一绘；杨俊娟译.—海口：南海出版公司，2010.9

ISBN 978-7-5442-4829-7

Ⅰ.①男… Ⅱ.①朴…②张…③李…④杨… Ⅲ.①科学幻想小说—韩国—现代 Ⅳ.①I312.645

中国版本图书馆CIP数据核字(2010)第118707号

著作权合同登记号 图字：30-2010-054

노빈손의 아마존 어드벤처 Nobinson's Amazone Adventure
Written by 박경수 Park Kyung-soo, illustrated by 이우일 Lee Woo-il